# Histoire vraie
## et autres nouvelles

Première de couverture : © The Art Archive/Musée d'Orsay Paris/Gianni Dagli Orti.
Deuxième de couverture : © Collection Kharbine-Tapabor.
Troisième de couverture : Droits réservés.
Page 146 : © MP/Leemage.



ISBN 978-2-7011-4882-3

CLASSICOCOLLÈGE

# Histoire vraie
## et autres nouvelles

GUY DE MAUPASSANT

**Dossier par Martine Cécillon**
*Certifiée de lettres modernes*

BELIN ■ GALLIMARD

# Sommaire

# Introduction

« Je trouvais des livres, des brochures, des journaux empilés le long des murs, contre les meubles, même au pied des meubles. Sur les tables, il y en avait des montagnes. » C'est ainsi que François Tassart, le domestique de Guy de Maupassant raconte son arrivée dans la maison de son maître. Maupassant lisait et écrivait beaucoup. Il lisait notamment dans les journaux la rubrique des faits divers et de là créait... une nouvelle ! À sa mort, alors qu'il n'a que 43 ans, on ne compte pas moins de cinq cents chroniques et nouvelles.

Ce recueil de nouvelles s'organise autour de trois thèmes chers à l'écrivain normand : l'enfant (« Aux champs », « Berthe » et « Rosalie Prudent »), la femme (« Histoire vraie », « Première neige » et « La rempailleuse ») et la guerre de 1870 (« Mademoiselle Fifi », « Le père Milon » et « La folle »). À travers ces neuf nouvelles, le lecteur découvre une écriture dont la noirceur de trait révèle l'homme dans sa solitude, son mystère et son étrangeté.

# Aux champs

Première parution
dans *Le Gaulois*
du 31 octobre 1882

*À Octave Mirbeau*[1].

Les deux chaumières étaient côte à côte, au pied d'une colline, proches d'une petite ville de bains. Les deux paysans besognaient dur sur la terre inféconde pour élever tous leurs petits. Chaque ménage en avait quatre. Devant les deux portes voisines, toute la marmaille grouillait du matin au soir. Les deux aînés avaient six ans et les deux cadets quinze mois environ ; les mariages, et, ensuite, les naissances s'étaient produits à peu près simultanément dans l'une et l'autre maison.

Les deux mères distinguaient à peine leurs produits dans le tas ; et les deux pères confondaient tout à fait. Les huit noms dansaient dans leur tête, se mêlaient sans cesse ; et, quand il fallait en appeler un, les hommes souvent en criaient trois avant d'arriver au véritable.

La première des deux demeures, en venant de la station d'eaux de Rolleport[2], était occupée par les Tuvache[3], qui avaient trois filles et un garçon ; l'autre masure abritait les Vallin, qui avaient une fille et trois garçons.

---

1. **Octave Mirbeau** (1848-1917) : écrivain français, ami de Guy de Maupassant.
2. **Rolleport** : nom imaginaire, forgé par Guy de Maupassant à partir de noms de communes françaises existantes comme Rolleville ou Yport, situées en Normandie. Guy de Maupassant connaît particulièrement bien cette région qui l'a vu naître.
3. **Tuvache** : nom donné au maire de Yonville par Gustave Flaubert dans *Madame Bovary* (1857).

Tout cela vivait péniblement de soupe, de pommes de terre et de grand air. À sept heures, le matin, puis à midi, puis à six heures, le soir, les ménagères réunissaient leurs mioches pour donner la pâtée, comme des gardeurs d'oies assemblent leurs bêtes. Les enfants étaient assis, par rang d'âge, devant la table en bois, vernie par cinquante ans d'usage. Le dernier moutard avait à peine la bouche au niveau de la planche. On posait devant eux l'assiette creuse pleine de pain molli dans l'eau où avaient cuit les pommes de terre, un demi-chou et trois oignons ; et toute la ligne mangeait jusqu'à plus faim. La mère empâtait[1] elle-même le petit. Un peu de viande au pot-au-feu, le dimanche, était une fête pour tous ; et le père, ce jour-là, s'attardait au repas en répétant : « Je m'y ferais bien tous les jours. »

Par un après-midi du mois d'août, une légère voiture[2] s'arrêta brusquement devant les deux chaumières, et une jeune femme, qui conduisait elle-même, dit au monsieur assis à côté d'elle :

« Oh ! regarde, Henri, ce tas d'enfants ! Sont-ils jolis, comme ça, à grouiller dans la poussière ! »

L'homme ne répondit rien, accoutumé à ces admirations qui étaient une douleur et presque un reproche pour lui.

La jeune femme reprit :

« Il faut que je les embrasse ! Oh ! comme je voudrais en avoir un, celui-là, le tout-petit. »

Et, sautant de la voiture, elle courut aux enfants, prit un des deux derniers, celui des Tuvache, et, l'enlevant dans ses bras, elle le baisa passionnément sur ses joues sales, sur ses cheveux blonds frisés et pommadés de terre, sur ses menottes qu'il agitait pour se débarrasser des caresses ennuyeuses.

Puis elle remonta dans sa voiture et partit au grand trot. Mais elle revint la semaine suivante, s'assit elle-même par terre, prit le

---

1. **Empâtait** : nourrissait.
2. **Voiture** : véhicule tiré par des chevaux.

moutard dans ses bras, le bourra de gâteaux, donna des bonbons à tous les autres; et joua avec eux comme une gamine, tandis que
50 son mari attendait patiemment dans sa frêle voiture.

Elle revint encore, fit connaissance avec les parents, reparut tous les jours, les poches pleines de friandises et de sous.

Elle s'appelait Mme Henri d'Hubières.

Un matin, en arrivant, son mari descendit avec elle; et, sans
55 s'arrêter aux mioches, qui la connaissaient bien maintenant, elle pénétra dans la demeure des paysans.

Ils étaient là, en train de fendre du bois pour la soupe; ils se redressèrent tout surpris, donnèrent des chaises et attendirent. Alors la jeune femme, d'une voix entrecoupée, tremblante,
60 commença:

«Mes braves gens, je viens vous trouver parce que je voudrais bien… je voudrais bien emmener avec moi votre… votre petit garçon…»

Les campagnards, stupéfaits et sans idée, ne répondirent pas.
65 Elle reprit haleine et continua.

«Nous n'avons pas d'enfants; nous sommes seuls, mon mari et moi… Nous le garderions… voulez-vous?»

La paysanne commençait à comprendre. Elle demanda:

«Vous voulez nous prend'e Charlot? Ah ben non, pour sûr.»
70 Alors M. d'Hubières intervint:

«Ma femme s'est mal expliquée. Nous voulons l'adopter, mais il reviendra vous voir. S'il tourne bien, comme tout porte à le croire, il sera notre héritier. Si nous avions, par hasard, des enfants, il partagerait également avec eux. Mais s'il ne répondait pas à nos
75 soins, nous lui donnerions, à sa majorité, une somme de vingt mille francs, qui sera immédiatement déposée en son nom chez un notaire. Et, comme on a aussi pensé à vous, on vous servira jusqu'à votre mort une rente de cent francs par mois. Avez-vous bien compris?»
80 La fermière s'était levée, toute furieuse.

«Vous voulez que j'vous vendions Charlot? Ah! mais non; c'est pas des choses qu'on d'mande à une mère, ça ! Ah ! mais non ! Ce s'rait une abomination. »

L'homme ne disait rien, grave et réfléchi ; mais il approuvait sa femme d'un mouvement continu de la tête.

Mme d'Hubières, éperdue, se mit à pleurer, et, se tournant vers son mari, avec une voix pleine de sanglots, une voix d'enfant dont tous les désirs ordinaires sont satisfaits, elle balbutia :

« Ils ne veulent pas, Henri, ils ne veulent pas ! »

Alors ils firent une dernière tentative.

« Mais, mes amis, songez à l'avenir de votre enfant, à son bonheur, à... »

La paysanne, exaspérée, lui coupa la parole :

« C'est tout vu, c'est tout entendu, c'est tout réfléchi... Allez-vous-en, et pi, que j'vous revoie point par ici. C'est-i permis d'vouloir prendre un éfant comme ça ! »

Alors, Mme d'Hubières, en sortant, s'avisa qu'ils étaient deux tout-petits, et elle demanda à travers ses larmes, avec une ténacité de femme volontaire et gâtée, qui ne veut jamais attendre :

« Mais l'autre petit n'est pas à vous ? »

Le père Tuvache répondit :

« Non, c'est aux voisins ; vous pouvez y aller, si vous voulez. »

Et il rentra dans sa maison, où retentissait la voix indignée de sa femme.

Les Vallin étaient à table, en train de manger avec lenteur des tranches de pain qu'ils frottaient parcimonieusement [1] avec un peu de beurre piqué au couteau, dans une assiette entre eux deux.

M. d'Hubières recommença ses propositions, mais avec plus d'insinuations, de précautions oratoires [2], d'astuce.

Les deux ruraux hochaient la tête en signe de refus ; mais

1. **Parcimonieusement** : chichement, en prenant garde de ne pas gaspiller.
2. **Précautions oratoires** : moyens qu'on emploie pour se concilier la bienveillance de l'auditeur et ménager sa susceptibilité.

quand ils apprirent qu'ils auraient cent francs par mois, ils se considérèrent, se consultant de l'œil, très ébranlés.

Ils gardèrent longtemps le silence, torturés, hésitants. La femme enfin demanda :

« Qué qu't'en dis, l'homme ? »

Il prononça d'un ton sentencieux :

« J'dis qu'c'est point méprisable. »

Alors Mme d'Hubières, qui tremblait d'angoisse, leur parla de l'avenir du petit, de son bonheur, et de tout l'argent qu'il pourrait leur donner plus tard.

Le paysan demanda :

« C'te rente de douze cents francs, ce s'ra promis d'vant l'notaire ? »

M. d'Hubières répondit :

« Mais certainement, dès demain. »

La fermière, qui méditait, reprit :

« Cent francs par mois, c'est point suffisant pour nous priver du p'tit ; ça travaillera dans quéqu'z'ans c't'éfant ; i nous faut cent vingt francs. »

Mme d'Hubières, trépignant d'impatience, les accorda tout de suite ; et, comme elle voulait enlever l'enfant, elle donna cent francs en cadeau pendant que son mari faisait un écrit. Le maire et un voisin, appelés aussitôt, servirent de témoins complaisants [1].

Et la jeune femme, radieuse, emporta le marmot hurlant, comme on emporte un bibelot désiré d'un magasin.

Les Tuvache, sur leur porte, le regardaient partir, muets, sévères, regrettant peut-être leur refus.

On n'entendit plus du tout parler du petit Jean Vallin. Les parents, chaque mois, allaient toucher leurs cent vingt francs chez le notaire ; et ils étaient fâchés avec leurs voisins parce que la mère Tuvache les agonisait d'ignominies [2], répétant sans cesse de

1. **Complaisants** : accommodants.
2. **Les agonisait d'ignominies** : les accablait d'injures.

porte en porte qu'il fallait être dénaturé pour vendre son enfant, que c'était une horreur, une saleté, une corromperie [1].

145 Et parfois elle prenait en ses bras son Charlot avec ostentation [2], lui criant, comme s'il eût compris :

« J't'ai pas vendu, mé, j't'ai pas vendu, mon p'tiot. J'vends pas m's éfants, mé. J'sieus pas riche, mais vends pas m's'éfants. »

Et, pendant des années et encore des années, ce fut ainsi chaque 150 jour ; chaque jour des allusions grossières qui étaient vociférées devant la porte, de façon à entrer dans la maison voisine. La mère Tuvache avait fini par se croire supérieure à toute la contrée parce qu'elle n'avait pas vendu Charlot. Et ceux qui parlaient d'elle disaient :

155 « J'sais ben que c'était engageant, c'est égal, elle s'a conduite comme une bonne mère. »

On la citait ; et Charlot, qui prenait dix-huit ans, élevé dans cette idée qu'on lui répétait sans répit, se jugeait lui-même supérieur à ses camarades, parce qu'on ne l'avait pas vendu.

160 Les Vallin vivotaient à leur aise, grâce à la pension. La fureur inapaisable des Tuvache, restés misérables, venait de là.

Leur fils aîné partit au service. Le second mourut [3] ; Charlot resta seul à peiner avec le vieux père pour nourrir la mère et deux autres sœurs cadettes qu'il avait.

165 Il prenait vingt et un ans, quand, un matin, une brillante voiture s'arrêta devant les deux chaumières. Un jeune monsieur, avec une chaîne de montre en or, descendit, donnant la main à une vieille dame en cheveux blancs. La vieille dame lui dit :

« C'est là, mon enfant, à la seconde maison. »

170 Et il entra comme chez lui dans la masure des Vallin.

---

1. **Corromperie** : mot forgé par Maupassant signifiant ici dépravation, avilissement.
2. **Avec ostentation** : de façon à se faire remarquer.
3. **Le second mourut** : il s'agit ici vraisemblablement d'une étourderie de la part de Guy de Maupassant qui a mentionné au début de la nouvelle (p. 11) que les Tuvache n'avaient qu'un garçon et trois filles.

La vieille mère lavait ses tabliers; le père, infirme, sommeillait près de l'âtre. Tous deux levèrent la tête, et le jeune homme dit:

« Bonjour, papa; bonjour, maman. »

Ils se dressèrent effarés[1]. La paysanne laissa tomber d'émoi
175 son savon dans son eau et balbutia:

« C'est-i té, m'n éfant? C'est-i té, m'n éfant? »

Il la prit dans ses bras et l'embrassa, en répétant: « Bonjour, maman. » Tandis que le vieux, tout tremblant, disait, de son ton calme qu'il ne perdait jamais: « Te v'là-t'il revenu, Jean? » Comme
180 s'il l'avait vu un mois auparavant.

Et, quand ils se furent reconnus, les parents voulurent tout de suite sortir le fieu[2] dans le pays pour le montrer. On le conduisit chez le maire, chez l'adjoint, chez le curé, chez l'instituteur.

Charlot, debout sur le seuil de sa chaumière, le regardait
185 passer.

Le soir au souper, il dit aux vieux:

« Faut-il qu'vous ayez été sots pour laisser prendre le p'tit aux Vallin! »

Sa mère répondit obstinément:

190 « J'voulions point vendre not'éfant. »

Le père ne disait rien.

Le fils reprit:

« C'est-il pas malheureux d'être sacrifié comme ça. »

Alors le père Tuvache articula d'un ton coléreux:

195 « Vas-tu pas nous r'procher d' t'avoir gardé? »

Et le jeune homme, brutalement:

« Oui, j'vous le r'proche, que vous n'êtes que des niants. Des parents comme vous ça fait l'malheur des éfants. Qu'vous mériteriez que j'vous quitte. »

200 La bonne femme pleurait dans son assiette. Elle gémit tout en avalant des cuillerées de soupe dont elle répandait la moitié:

1. **Effarés**: profondément troublés.
2. **Fieu**: fils (patois).

« Tuez-vous donc pour élever d's éfants ! »

Alors le gars, rudement :

« J'aimerais mieux n'être point né que d'être c'que j'suis. Quand
205 j'ai vu l'autre, tantôt, mon sang n'a fait qu'un tour. Je m'suis dit :
– v'là c'que j'serais maintenant. »

Il se leva.

« Tenez, j'sens bien que je ferai mieux de n'pas rester ici, parce que j'vous le reprocherais du matin au soir, et que j'vous ferais
210 une vie d'misère. Ça, voyez-vous, j'vous l'pardonnerai jamais ! »

Les deux vieux se taisaient, atterrés, larmoyants.

Il reprit :

« Non, c't'idée-là, ce serait trop dur. J'aime mieux m'en aller chercher ma vie aut'part. »

215 Il ouvrit la porte. Un bruit de voix entra. Les Vallin festoyaient avec l'enfant revenu.

Alors Charlot tapa du pied et, se tournant vers ses parents, cria :

« Manants[1], va ! »

220 Et il disparut dans la nuit.

1. **Manants** : paysans.

# Berthe

Première parution
dans *Le Figaro*
du 20 octobre 1884

Mon vieil ami (on a parfois des amis beaucoup plus âgés que soi), mon vieil ami le docteur Bonnet m'avait souvent invité à passer quelque temps chez lui, à Riom. Je ne connaissais point l'Auvergne et je me décidai à l'aller voir vers le milieu de l'été 5 de 1876.

J'arrivai par le train du matin, et la première figure aperçue sur le quai de la gare fut celle du docteur. Il était habillé en gris et coiffé d'un chapeau noir, rond, de feutre mou, à larges bords, dont le fond, très haut, allait se rétrécissant en forme de 10 tuyau de cheminée, un vrai chapeau auvergnat qui sentait le charbonnier. Ainsi vêtu, le docteur avait l'air d'un vieux jeune homme avec son corps fluet sous son veston clair et sa grosse tête à cheveux blancs.

Il m'embrassa avec cette joie visible qu'ont les gens de province 15 en voyant arriver des amis longtemps désirés, et, étendant la main autour de lui, il s'écria, plein de fierté : « Voici l'Auvergne ! » Je ne voyais qu'une ligne de montagnes devant moi, dont les sommets, pareils à des cônes tronqués, devaient être d'anciens volcans.

Puis, levant le doigt vers le nom de la station écrit au front de la 20 gare, il prononça : « Riom, patrie des magistrats, orgueil de la magistrature, qui devrait être bien plutôt la patrie des médecins. »

Je demandai : « Pourquoi ? »

Il répondit, en riant : « Pourquoi ? Retournez ce nom et vous avez mori, mourir… Voilà, jeune homme, pourquoi je me suis 25 installé dans ce pays. » Et, ravi de sa plaisanterie, il m'entraîna en se frottant les mains.

Dès que j'eus avalé une tasse de café au lait, il fallut visiter la vieille cité. J'admirai la maison du pharmacien, et les autres maisons célèbres, toutes noires, mais jolies comme des bibelots, 30 avec leurs façades de pierre sculptée. J'admirai la statue de la Vierge, patronne des bouchers[1], et j'entendis même à ce sujet, le récit d'une aventure amusante que je conterai un autre jour, puis le docteur Bonnet me dit: « Maintenant je vous demande cinq minutes pour aller voir une malade, et je vous conduirai 35 sur la colline de Châtelguyon, afin de vous montrer, avant le déjeuner, l'aspect général de la ville et toute la chaîne du Puy-de-Dôme. Vous pouvez m'attendre sur le trottoir, je ne fais que monter et descendre. »

Il me quitta en face d'un de ces vieux hôtels de province, som-40 bres, clos, muets, lugubres. Celui-là me parut d'ailleurs avoir une physionomie[2] particulièrement sinistre et j'en découvris bientôt la cause. Toutes les grandes fenêtres du premier étage étaient fermées jusqu'à la moitié par des contrevents[3] de bois plein. Le dessus seul s'ouvrait, comme si on eût voulu empêcher les gens 45 enfermés en ce vaste coffre de pierre de regarder dans la rue.

Quand le docteur redescendit, je lui fis part de ma remarque. Il répondit: « Vous ne vous êtes pas trompé; le pauvre être gardé là-dedans ne doit jamais voir ce qui se passe au-dehors. C'est une folle, ou plutôt une idiote, ou plutôt encore une simple, ce que 50 vous appelleriez, vous autres Normands, une Niente.

« Ah! tenez, c'en est une lugubre histoire, et en même temps, un singulier cas pathologique[4]. Voulez-vous que je vous conte cela? »

J'acceptai. Il reprit:

*

1. **La Vierge, patronne des bouchers**: sous la Terreur, la célèbre Vierge à l'oiseau de l'église Notre-Dame du Marthuret, à Riom, avait été sauvée par une corporation de bouchers.
2. **Physionomie**: ici, air.
3. **Contrevents**: volets.
4. **Pathologique**: relatif à l'état de maladie.

Voilà. Il y a vingt ans maintenant, les propriétaires de cet hôtel, mes
55 clients, eurent un enfant, une fille, pareille à toutes les filles.

Mais je m'aperçus bientôt que, si le corps du petit être se développait admirablement, son intelligence demeurait inerte.

Elle marcha de très bonne heure, mais elle refusa absolument de parler. Je la crus sourde d'abord ; puis je constatai qu'elle
60 entendait parfaitement, mais qu'elle ne comprenait pas. Les bruits violents la faisaient tressaillir, l'effrayaient sans qu'elle se rendît compte de leurs causes.

Elle grandit ; elle était superbe, et muette, muette par défaut d'intelligence. J'essayai de tous les moyens pour amener dans cette
65 tête une lueur de pensée ; rien ne réussit. J'avais cru remarquer qu'elle reconnaissait sa nourrice ; une fois sevrée, elle ne reconnut pas sa mère. Elle ne sut jamais dire ce mot, le premier que les enfants prononcent et le dernier que murmurent les soldats mourant sur les champs de bataille : « Maman ! » Elle essayait
70 parfois des bégaiements, des vagissements[1], rien de plus.

Quand il faisait beau, elle riait tout le temps en poussant des cris légers qu'on pouvait comparer à des gazouillements d'oiseau ; quand il pleuvait, elle pleurait et gémissait d'une façon lugubre, effrayante, pareille à la plainte des chiens qui hurlent à la
75 mort.

Elle aimait se rouler dans l'herbe à la façon des jeunes bêtes, et courir comme une folle, et elle battait des mains chaque matin si elle voyait le soleil entrer dans sa chambre. Quand on ouvrait sa fenêtre, elle battait des mains en s'agitant dans son lit, pour
80 qu'on l'habillât tout de suite.

Elle ne paraissait faire d'ailleurs aucune distinction entre les gens, entre sa mère et sa bonne, entre son père et moi, entre le cocher et la cuisinière.

J'aimais ses parents, si malheureux, et je venais presque tous les
85 jours les voir. Je dînais aussi souvent chez eux, ce qui me permit

1. **Vagissements** : cris.

de remarquer que Berthe (on l'avait nommée Berthe) semblait reconnaître les plats et préférer les uns aux autres.

Elle avait alors douze ans. Elle était formée comme une fille de dix-huit ans et plus grande que moi.

90 L'idée me vint donc de développer sa gourmandise et d'essayer, par ce moyen, de faire entrer des nuances dans son esprit, de la forcer, par les dissemblances des goûts, par les gammes des saveurs, sinon à des raisonnements, du moins à des distinctions instinctives, mais qui constitueraient déjà une sorte de travail 95 matériel de la pensée.

On devrait ensuite, en faisant appel à ses passions, et en choisissant avec soin celles qui pourraient nous servir, obtenir une sorte de choc en retour du corps sur l'intelligence, et augmenter peu à peu le fonctionnement insensible de son cerveau.

100 Je plaçai donc un jour, en face d'elle, deux assiettes, l'une de soupe, l'autre de crème à la vanille, très sucrée. Et je lui fis goûter de l'une et de l'autre alternativement. Puis je la laissai libre de choisir. Elle mangea l'assiette de crème.

En peu de temps je la rendis très gourmande, si gourmande 105 qu'elle semblait n'avoir plus en tête que l'idée ou plutôt que le désir de manger. Elle reconnaissait parfaitement les plats, tendait la main vers ceux qui lui plaisaient et s'en emparait avidement. Elle pleurait quand on les lui ôtait.

Je songeai alors à lui apprendre à venir dans la salle à manger 110 au tintement de la cloche. Ce fut long ; j'y parvins cependant. Il s'établit assurément, en son vague entendement[1], une corrélation[2] entre le son et le goût, soit un rapport entre deux sens, un appel de l'un à l'autre, et, par conséquent, une sorte d'enchaînement

---

1. **Entendement** : raison.
2. **Corrélation** : lien.

d'idées – si on peut appeler idée cette espèce de trait d'union
115 instinctif entre deux fonctions organiques[1].

Je poussai encore plus loin mon expérience et je lui appris – avec quelle peine ! – à reconnaître l'heure des repas sur le cadran de la pendule.

Il me fut impossible, pendant longtemps, d'appeler son attention
120 sur les aiguilles, mais j'arrivai à lui faire remarquer la sonnerie. Le moyen employé fut simple : je supprimai la cloche, et tout le monde se levait pour aller à table quand le petit marteau de cuivre annonçait midi.

Je m'efforçai en vain, par exemple, de lui apprendre à comp-
125 ter les coups. Elle se précipitait vers la porte chaque fois qu'elle entendait le timbre ; mais alors, peu à peu, elle dut se rendre compte que toutes les sonneries n'avaient pas la même valeur au point de vue des repas ; et son œil, guidé par son oreille, se fixa souvent sur le cadran.

130 L'ayant remarqué, j'eus soin chaque jour, à midi et à six heures, d'aller poser mon doigt sur le chiffre douze, et sur le chiffre six, aussitôt qu'arrivait le moment attendu par elle ; et je m'aperçus bientôt qu'elle suivait attentivement la marche des petites branches de cuivre que j'avais fait souvent tourner en sa présence.

135 Elle avait compris ! je devrais plutôt dire : elle avait saisi. J'étais parvenu à faire entrer en elle la connaissance, ou mieux la sensation de l'heure, ainsi qu'on y arrive pour des carpes, qui n'ont cependant pas la ressource des pendules, en leur donnant à manger, chaque jour, juste au même moment.

140 Une fois ce résultat acquis, tous les instruments d'horlogerie existant dans la maison occupèrent son attention d'une façon exclusive. Elle passait son temps à les regarder, à les écouter, à attendre les heures. Il arriva même une chose assez drôle. La

1. **Il s'établit assurément [...] entre deux fonctions organiques** : peu avant le médecin et physiologiste russe Ivan Pavlov (1849-1936), Guy de Maupassant expose ici le principe du réflexe conditionné.

sonnerie d'un joli cartel [1] Louis XVI suspendu à la tête de son lit
145 s'étant détraquée, elle s'en aperçut. Elle attendait depuis vingt minutes, l'œil sur l'aiguille, que le timbre annonçât dix heures. Mais, quand l'aiguille eut passé le chiffre, elle demeura stupéfaite de ne rien entendre, tellement stupéfaite qu'elle s'assit, remuée sans doute par une de ces émotions violentes qui nous
150 secouent en face des grandes catastrophes. Et elle eut l'étrange patience de demeurer devant la petite mécanique jusqu'à onze heures, pour voir ce qui allait arriver. Elle n'entendit encore rien, naturellement; alors, saisie tout à coup soit de la colère folle de l'être trompé, déçu, soit de l'épouvante de l'être effaré
155 devant un mystère redoutable, soit de l'impatience furieuse de l'être passionné qui rencontre un obstacle, elle saisit la pincette de la cheminée et frappa le cartel avec tant de force qu'elle le mit en pièces en une seconde.

Donc son cerveau fonctionnait, calculait, d'une façon obscure il
160 est vrai, et dans une limite très restreinte, car je ne pus parvenir à lui faire distinguer les personnes comme elle distinguait les heures. Il fallait, pour obtenir d'elle un mouvement d'intelligence, faire appel à ses passions, dans le sens matériel du mot.

Nous en eûmes bientôt une autre preuve, hélas ! terrible.

165 Elle était devenue superbe ; c'était vraiment un type de la race, une sorte de Vénus admirable et stupide.

Elle avait seize ans maintenant et j'ai rarement vu pareille perfection de formes, pareille souplesse et pareille régularité de traits. J'ai dit une Vénus, oui, une Vénus, blonde, grasse,
170 vigoureuse, avec de grands yeux clairs et vides, bleus comme la fleur du lin, et une large bouche aux lèvres rondes, une bouche de gourmande, de sensuelle, une bouche à baisers.

Or, un matin, son père entra chez moi avec une figure singulière et, s'étant assis, sans même répondre à mon bonjour :

1. **Cartel** : pendule.

175 «J'ai à vous parler d'une chose fort grave, dit-il… Est-ce qu'on… est-ce qu'on pourrait marier Berthe ?»

J'eus un sursaut d'étonnement et je m'écriai : «Marier Berthe?… mais c'est impossible !»

Il reprit : «Oui… je sais… mais réfléchissez… docteur… c'est 180 que… peut-être… nous avons espéré… si elle avait des enfants… ce serait pour elle une grande secousse, un grand bonheur et… qui sait si son esprit ne s'éveillerait pas dans la maternité?…»

Je demeurai fort perplexe. C'était juste. Il se pourrait que cette chose si nouvelle, que cet admirable instinct des mères qui palpite 185 au cœur des bêtes comme au cœur des femmes, qui fait se jeter la poule en face de la gueule du chien, pour défendre ses petits, amenât une révolution, un bouleversement dans cette tête inerte[1], et mît en marche le mécanisme immobile de sa pensée.

Je me rappelai d'ailleurs tout de suite un exemple personnel. 190 J'avais possédé, quelques années auparavant, une petite chienne de chasse si sotte que je n'en pouvais rien obtenir. Elle eut des petits et devint, du jour au lendemain, non pas intelligente, mais presque pareille à beaucoup de chiens peu développés.

À peine eus-je entrevu cette possibilité que le désir grandit en 195 moi de marier Berthe, non pas tant par amitié pour elle et pour ses pauvres parents que par curiosité scientifique. Qu'arriverait-il? C'était là un singulier problème !

Je répondis donc au père :

«Vous avez peut-être raison… on peut essayer… Essayez… 200 mais… mais… vous ne trouverez jamais un homme qui consente à cela.»

Il prononça, à mi-voix :

«J'ai quelqu'un.»

Je fus stupéfait. Je balbutiai : «Quelqu'un de propre?… quelqu'un 205 de… votre monde?…»

Il répondit : «Oui, parfaitement.

---

1. **Inerte** : vide.

– Ah ! Et… puis-je vous demander son nom ?

– Je venais pour vous le dire et pour vous consulter. C'est M. Gaston du Boys de Lucelles ! »

210 Je faillis m'écrier : « Le misérable ! » mais je me tus, et, après un silence, j'articulai :

« Oui, très bien. Je ne vois aucun inconvénient. »

Le pauvre homme me serra les mains : « Nous la marierons le mois prochain », dit-il.

215 M. Gaston du Boys de Lucelles était un garnement de bonne famille qui, ayant mangé l'héritage paternel, et fait des dettes par mille moyens indélicats, cherchait un nouveau moyen quelconque pour se procurer de l'argent.

Il avait trouvé celui-là.

220 Beau garçon, d'ailleurs, bien portant, mais viveur[1], de la race odieuse des viveurs de province, il me parut nous promettre un mari suffisant dont on se débarrasserait ensuite avec une pension.

Il vint dans la maison faire sa cour et faire la roue devant cette 225 belle fille idiote, qui semblait lui plaire d'ailleurs. Il apportait des fleurs, lui baisait les mains, s'asseyait à ses pieds et la regardait avec des yeux tendres ; mais elle ne prenait garde à aucune de ses attentions, et ne le distinguait nullement des autres personnes vivant autour d'elle.

230 Le mariage eut lieu.

Vous comprenez à quel point était allumée ma curiosité.

Je vins le lendemain voir Berthe, pour épier, sur son visage, si quelque chose avait tressailli en elle. Mais je la trouvai semblable à ce qu'elle était tous les jours, uniquement préoccupée de la 235 pendule et du dîner. Lui, au contraire, semblait fort épris[2] et

1. **Viveur** : homme qui mène une vie de plaisirs.
2. **Épris** : amoureux.

cherchait à exciter la gaieté et l'affection de sa femme par les petits jeux et les agaceries qu'on emploie avec les jeunes chats.

Il n'avait rien trouvé de mieux.

Je me mis alors à faire des visites fréquentes aux nouveaux
240 époux, et je m'aperçus bientôt que la jeune femme reconnaissait son mari et jetait sur lui les regards avides qu'elle n'avait eus, jusqu'ici, que pour les plats sucrés.

Elle suivait ses mouvements, distinguait son pas dans l'escalier ou dans les chambres voisines, battait des mains quand il entrait
245 et son visage transfiguré s'éclairait d'une flamme de bonheur profond et de désir.

Elle l'aimait de tout son corps, de toute son âme, de toute sa pauvre âme infirme, de tout son cœur, de tout son pauvre cœur de bête reconnaissante.

250 C'était vraiment une image admirable et naïve de la passion simple, de la passion charnelle [1] et pudique cependant, telle que la nature l'avait mise dans les êtres avant que l'homme l'eût compliquée et défigurée par toutes les nuances du sentiment.

Mais lui se fatigua bien vite de cette belle créature ardente [2] et
255 muette. Il ne passait plus près d'elle que quelques heures dans le jour, trouvant suffisant de lui donner ses nuits.

Et elle commença à souffrir.

Elle l'attendait, du matin au soir, les yeux fixés sur la pendule, ne se préoccupant même plus des repas, car il mangeait toujours
260 dehors, à Clermont, à Châtelguyon, à Royat, n'importe où, pour ne pas rentrer.

Elle maigrit.

Toute autre pensée, tout autre désir, toute autre attente, tout autre espoir confus disparurent de son esprit ; et les heures où
265 elle ne le voyait point devenaient pour elle des heures de supplice atroce. Bientôt il découcha. Il passait ses soirées au casino

---

1. **Charnelle** : qui se rapporte au corps, à la chair, au plaisir des sens.
2. **Ardente** : ici, passionnée.

de Royat avec des femmes, ne rentrait qu'aux premières lueurs du jour.

Elle refusait de se mettre au lit avant qu'il fût revenu. Elle restait immobile sur une chaise, les yeux indéfiniment fixés sur les petites aiguilles de cuivre qui tournaient, tournaient de leur marche lente et régulière, autour du cadran de faïence où les heures étaient écrites.

Elle entendait au loin le trot de son cheval, et se dressait d'un bond, puis, quand il entrait dans la chambre, elle levait, avec un geste de fantôme, son doigt vers la pendule, comme pour lui dire : « Regarde comme il est tard ! » Et lui commençait à prendre peur devant cette idiote amoureuse et jalouse ; il s'irritait comme font les brutes. Il la frappa, un soir.

On me vint chercher. Elle se débattait, en hurlant, dans une horrible crise de douleur, de colère, de passion, que sais-je ? Peut-on deviner ce qui se passe dans ces cerveaux rudimentaires ?

Je la calmai avec des piqûres de morphine ; et je défendis qu'elle revît cet homme, car je compris que le mariage la conduirait infailliblement[1] à la mort.

Alors elle devint folle ! Oui, mon cher, cette idiote est devenue folle. Elle pense à lui toujours, et elle l'attend. Elle l'attend toute la journée et toute la nuit, éveillée ou endormie, en ce moment, sans cesse. Comme je la voyais maigrir, maigrir, et comme son regard obstiné ne quittait plus jamais le cadran des horloges, j'ai fait enlever de la maison tous ces appareils à mesurer le temps. Je lui ai ôté ainsi la possibilité de compter les heures et de chercher sans fin en d'obscures réminiscences[2], à quel moment il revenait, autrefois. J'espère, à la longue, tuer en elle le souvenir, éteindre cette lueur de pensée que j'avais allumée avec tant de peine.

1. **Infailliblement** : inévitablement.
2. **Réminiscences** : souvenirs imprécis.

Et j'ai essayé l'autre jour, une expérience. Je lui ai offert ma montre. Elle l'a prise, l'a considérée quelque temps; puis elle s'est mise à crier d'une façon épouvantable, comme si la vue de ce petit instrument avait soudain réveillé sa mémoire qui
300 commençait à s'assoupir.

Elle est maigre, aujourd'hui, maigre à faire pitié, avec des yeux caves [1] et brillants. Et elle marche sans cesse, comme les bêtes en cage.

J'ai fait griller les fenêtres, poser de hauts contrevents et fixer
305 les sièges aux parquets pour l'empêcher de regarder dans la rue s'il revient!

Oh! les pauvres parents! Quelle vie ils auront passée!

*

Nous étions arrivés sur la colline, le docteur se retourna et me dit: « Regardez Riom d'ici. »

310 La ville, sombre, avait l'aspect des vieilles cités. Par-derrière, à perte de vue, s'étendait une plaine verte, boisée, peuplée de villages et de villes, et noyée dans une fine vapeur bleue qui rendait charmant l'horizon. À ma droite, au loin, de grandes montagnes s'allongeaient avec une suite de sommets ronds ou
315 coupés net comme d'un revers d'épée.

Le docteur se mit à énumérer les pays et les cimes, me contant l'histoire de chacune et de chacun.

Mais je n'écoutais pas, je ne pensais qu'à la folle, je ne voyais qu'elle. Elle paraissait planer, comme un esprit lugubre, sur toute
320 cette vaste contrée.

Et je demandai brusquement:

« Qu'est-il devenu, lui, le mari? »

---

1. **Caves**: creux.

Mon ami, un peu surpris, après avoir hésité, répondit : « Il vit à Royat avec la pension qu'on lui fait. Il est heureux, il noce[1]. »

325 Comme nous rentrions à petits pas, attristés tous deux et silencieux, une charrette anglaise passa rapidement, venue derrière nous, au grand trot d'un pur-sang.

Le docteur me saisit le bras.

« Le voici », dit-il.

330 Je ne vis qu'un chapeau de feutre gris, incliné sur une oreille, au-dessus de deux larges épaules, fuyant dans un nuage de poussière.

1. **Il noce** : il fait la noce, la fête.

# Rosalie Prudent

Première parution
dans *Gil Blas*
du 2 mars 1886

Il y avait vraiment dans cette affaire un mystère que ni les jurés[1], ni le président, ni le procureur de la République lui-même ne parvenaient à comprendre.

La fille Prudent (Rosalie), bonne chez les époux Varambot, de Mantes, devenue grosse à l'insu de ses maîtres, avait accouché, pendant la nuit, dans sa mansarde, puis tué et enterré son enfant dans le jardin.

C'était là l'histoire courante de tous les infanticides[2] accomplis par les servantes. Mais un fait demeurait inexplicable. La perquisition opérée dans la chambre de la fille Prudent avait amené la découverte d'un trousseau[3] complet d'enfant, fait par Rosalie elle-même, qui avait passé ses nuits à le couper et à le coudre pendant trois mois. L'épicier chez qui elle avait acheté de la chandelle, payée sur ses gages[4], pour ce long travail, était venu témoigner. De plus, il demeurait acquis que la sage-femme du pays, prévenue par elle de son état, lui avait donné tous les renseignements et tous les conseils pratiques pour le cas où l'accident arriverait dans un moment où les secours demeureraient impossibles. Elle avait cherché en outre une place à Poissy pour la fille Prudent qui prévoyait son renvoi, car les époux Varambot ne plaisantaient pas sur la morale.

Ils étaient là, assistant aux assises, l'homme et la femme, petits

---

1. **Jurés**: citoyens tirés au sort pour participer au jury d'une cour d'assises.
2. **Infanticides**: meurtres d'enfants.
3. **Trousseau**: ensemble des vêtements et des affaires de toilette.
4. **Ses gages**: son salaire.

rentiers [1] de province, exaspérés contre cette traînée [2] qui avait souillé leur maison. Ils auraient voulu la voir guillotiner [3] tout de 25 suite, sans jugement, et ils l'accablaient de dépositions haineuses devenues dans leur bouche des accusations.

La coupable, une belle grande fille de Basse-Normandie, assez instruite pour son état, pleurait sans cesse et ne répondait rien.

On en était réduit à croire qu'elle avait accompli cet acte barbare 30 dans un moment de désespoir et de folie, puisque tout indiquait qu'elle avait espéré garder et élever son fils.

Le président essaya encore une fois de la faire parler, d'obtenir des aveux, et l'ayant sollicitée avec une grande douceur, lui fit enfin comprendre que tous ces hommes réunis pour la juger ne 35 voulaient point sa mort et pouvaient même la plaindre.

Alors elle se décida.

Il demandait: « Voyons, dites-nous d'abord quel est le père de cet enfant? »

Jusque-là elle l'avait caché obstinément.

40 Elle répondit soudain, en regardant ses maîtres qui venaient de la calomnier [4] avec rage.

« C'est M. Joseph, le neveu à M. Varambot. »

Les deux époux eurent un sursaut et crièrent en même temps: « C'est faux! Elle ment. C'est une infamie [5]. »

45 Le président les fit taire et reprit: « Continuez, je vous prie, et dites-nous comment cela est arrivé. »

Alors elle se mit brusquement à parler avec abondance, soulageant son cœur fermé, son pauvre cœur solitaire et broyé, vidant son chagrin, tout son chagrin maintenant devant ces hommes 50 sévères qu'elle avait pris jusque-là pour des ennemis et des juges inflexibles.

---

1. **Rentiers**: personnes qui vivent de revenus non professionnels.
2. **Traînée**: femme de mauvaise vie.
3. À l'époque, l'infanticide était encore puni de mort.
4. **Calomnier**: déshonorer, par des accusations que l'on sait fausses.
5. **Infamie**: action ou parole vile, honteuse.

« Oui, c'est M. Joseph Varambot, quand il est venu en congé l'an dernier.

– Qu'est-ce qu'il fait, M. Joseph Varambot ?

55 – Il est sous-officier d'artilleurs, m'sieu. Donc il resta deux mois à la maison. Deux mois d'été. Moi, je ne pensais à rien quand il s'est mis à me regarder, et puis à me dire des flatteries, et puis à me cajoler tant que le jour durait. Moi, je me suis laissé prendre, m'sieu. Il m'répétait que j'étais belle fille, que j'étais 60 plaisante… que j'étais de son goût… Moi, il me plaisait pour sûr… Que voulez-vous ?… on écoute ces choses-là, quand on est seule… toute seule… comme moi. J'suis seule sur la terre, m'sieu… j'n'ai personne à qui parler… personne à qui conter mes ennuyances [1]… Je n'ai pu d'père, pu d'mère, ni frère, ni 65 sœur, personne ! Ça m'a fait comme un frère qui serait r'venu quand il s'est mis à me causer. Et puis, il m'a demandé de descendre au bord de la rivière un soir, pour bavarder sans faire de bruit. J'y suis v'nue, moi… Je sais-t-il ? je sais-t-il après ?… Il me tenait la taille… Pour sûr, je ne voulais pas… non… non… J'ai 70 pas pu… j'avais envie de pleurer tant que l'air était douce… il faisait clair de lune… J'ai pas pu… Non… je vous jure… j'ai pas pu… il a fait ce qu'il a voulu… Ça a duré encore trois semaines, tant qu'il est resté… Je l'aurais suivi au bout du monde… il est parti… Je ne savais pas que j'étais grosse [2], moi !… Je ne l'ai su 75 que l'mois d'après… »

Elle se mit à pleurer si fort qu'on dut lui laisser le temps de se remettre.

Puis le président reprit sur un ton de prêtre au confessionnal : « Voyons, continuez. »

80 Elle recommença à parler : « Quand j'ai vu que j'étais grosse, j'ai prévenu Mme Boudin, la sage-femme, qu'est là pour le dire ; et j'y ai demandé la manière pour le cas que ça arriverait sans elle.

---

1. **Ennuyances** : ennuis, soucis.
2. **Grosse** : ici, enceinte.

Et puis j'ai fait mon trousseau, nuit à nuit, jusqu'à une heure du matin, chaque soir; et puis j'ai cherché une autre place, car je
85 savais bien que je serais renvoyée; mais j'voulais rester jusqu'au bout dans la maison, pour économiser des sous, vu que j'n'en ai guère, et qu'il m'en faudrait, pour le p'tit...

– Alors vous ne vouliez pas le tuer?

– Oh! pour sûr non, m'sieu.

90 – Pourquoi l'avez-vous tué, alors?

– V'là la chose. C'est arrivé plus tôt que je n'aurais cru. Ça m'a pris dans ma cuisine, comme j'finissais ma vaisselle.

M. et Mme Varambot dormaient déjà; donc je monte, pas sans peine, en me tirant à la rampe; et je m'couche par terre,
95 sur le carreau, pour n'point gâter [1] mon lit. Ça a duré p't-être une heure, p't-être deux, p't-être trois; je ne sais point, tant ça me faisait mal; et puis, je l'poussais d'toute ma force, j'ai senti qu'il sortait, et je l'ai ramassé.

Oh! oui, j'étais contente, pour sûr! J'ai fait tout ce que m'avait
100 dit Mme Boudin, tout! Et puis je l'ai mis sur mon lit, lui! Et puis v'là qu'il me r'vient une douleur, mais une douleur à mourir. – Si vous connaissiez ça, vous autres, vous n'en feriez pas tant, allez! – J'en ai tombé sur les genoux, puis sur le dos, par terre; et v'là que ça me reprend, p't-être une heure encore, p't-être
105 deux, là toute seule... et puis qu'il en sort un autre... un autre p'tit..., deux..., oui..., deux..., comme ça! Je l'ai pris comme le premier, et puis je l'ai mis sur le lit, côte à côte – deux. – Est-ce possible, dites? Deux enfants! Moi qui gagne vingt francs par mois! Dites... est-ce possible? Un, oui, ça s'peut, en se privant...
110 mais pas deux! Ça m'a tourné la tête. Est-ce que je sais, moi? – J'pouvais-t-il choisir, dites?

Est-ce que je sais! Je me suis vue à la fin de mes jours! J'ai mis l'oreiller d'sus, sans savoir... Je n'pouvais pas en garder deux... et je m'suis couchée d'sus encore. Et puis, j'suis restée à m'rouler et

1. **Gâter**: ici, tacher, salir.

115 à pleurer jusqu'au jour que j'ai vu venir par la fenêtre ; ils étaient morts sous l'oreiller, pour sûr. Alors je les ai pris sous mon bras, j'ai descendu l'escalier, j'ai sorti dans l'potager, j'ai pris la bêche au jardinier, et je les ai enfouis sous terre, l'plus profond que j'ai pu, un ici, puis l'autre là, pas ensemble, pour qu'ils n'parlent pas
120 de leur mère, si ça parle, les p'tits morts. Je sais-t-il, moi ?

Et puis, dans mon lit, v'là que j'ai été si mal que j'ai pas pu me lever. On a fait venir le médecin qu'a tout compris. C'est la vérité, m'sieu le juge. Faites ce qu'il vous plaira, j'suis prête. »

La moitié des jurés se mouchaient coup sur coup pour ne point
125 pleurer. Des femmes sanglotaient dans l'assistance.

Le président interrogea.

« À quel endroit avez-vous enterré l'autre ? »

Elle demanda :

« Lequel que vous avez ?

130 – Mais… celui… celui qui était dans les artichauts.

– Ah bien ! L'autre est dans les fraisiers, au bord du puits. »

Et elle se mit à sangloter si fort qu'elle gémissait à fendre les cœurs.

La fille Rosalie Prudent fut acquittée.

# Arrêt sur lecture 1

## Un quiz pour commencer

***Cochez les bonnes réponses.***

❶ *Dans la nouvelle « Aux champs », qui raconte l'histoire ?*
- ❐ La mère Tuvache.
- ❐ Un narrateur.
- ❐ L'auteur Guy de Maupassant.

❷ *Pourquoi les Tuvache n'acceptent-ils pas de vendre leur fils aux d'Hubières ?*
- ❐ Le prix proposé n'est pas assez élevé.
- ❐ Ils n'apprécient pas les bourgeois d'Hubières.
- ❐ Un enfant n'a pas de prix et ne se vend pas.

❸ *Dans la nouvelle « Aux champs », qui a le dernier mot ?*
- ❐ Charlot Tuvache.
- ❐ Mme d'Hubières.
- ❐ Jean Vallin.

❹ ***Qui est le narrateur du récit central dans la nouvelle « Berthe » ?***

❒ Le père de Berthe.

❒ Le voyageur.

❒ Le docteur.

❺ ***Pourquoi le docteur s'occupe-t-il de la jeune Berthe ?***

❒ C'est une simple patiente.

❒ C'est une façon de faire des expériences scientifiques et médicales.

❒ C'est une connaissance de la famille.

❻ ***Dans cette nouvelle encadrée, combien comptez-vous de récit(s) ?***

❒ Un.

❒ Deux.

❒ Trois.

❼ ***Dans quel lieu se déroule la nouvelle « Rosalie Prudent » ?***

❒ Dans un tribunal.

❒ Chez les époux Varambot.

❒ Chez Rosalie Prudent.

❽ ***Quel personnage réussit à faire parler Rosalie ?***

❒ Un prêtre.

❒ Un juge.

❒ Un médecin.

❾ ***Pourquoi Rosalie tue-t-elle ses deux enfants ?***

❒ Elle ne voulait pas d'enfant.

❒ Le père des enfants l'a quittée.

❒ Elle n'avait pas assez d'argent pour élever deux enfants.

❿ ***Dans la nouvelle « Rosalie Prudent », pour quel(s) personnage(s) Maupassant prend-il parti ?***

❒ Les employeurs, les époux Varambot.

❒ Le neveu Varambot, père des enfants.

❒ Rosalie.

# Des questions pour aller plus loin

## Comprendre l'organisation d'une nouvelle

### « Aux champs »

❶ Quels sont les différents personnages de cette nouvelle ? Classez-les selon leur niveau social.

❷ Où se situe l'action de cette nouvelle ?

❸ Trouvez les différentes étapes du schéma narratif de « Aux champs » (de la situation initiale à la situation finale).

❹ Relevez le champ lexical de l'enfant et classez les mots selon le niveau de langue auquel ils appartiennent. Quel niveau de langue est le plus employé ? Complétez ce classement avec des mots de notre époque.

❺ À la fin de la nouvelle, quel reproche Charlot fait-il à ses parents ? Ce reproche vous semble-t-il légitime ?

❻ Comment pouvez-vous désormais interpréter le titre de cette nouvelle ?

### « Berthe »

❶ Dans le premier paragraphe de la nouvelle, qui est le narrateur et qui est le personnage ? À partir de la page 23, qui est le narrateur et qui écoute son récit ?

❷ Pourquoi Maupassant adopte-t-il la technique du récit encadré pour cette nouvelle ?

❸ Tout au long de la nouvelle, Berthe sombre progressivement dans la folie. Retrouvez les différentes étapes de l'évolution de Berthe. Qu'est-ce qui la rend véritablement folle ?

❹ Berthe est comparée à plusieurs reprises à un animal. Relevez une de ces comparaisons et précisez quel est le comparant, le comparé ainsi que l'outil de comparaison. Expliquez ensuite pourquoi l'auteur a choisi cette comparaison.
❺ À la fin de la nouvelle, pourquoi Berthe se met-elle à crier quand le docteur lui offre une montre ?

## « Rosalie Prudent »

❶ En une phrase brève, à la manière d'un journal, trouvez un autre titre à cette nouvelle. En quoi ce récit s'apparente-t-il à un fait divers ?
❷ Étudiez le deuxième paragraphe de « Rosalie Prudent » et montrez qu'il s'agit d'un résumé de la nouvelle. Pourquoi l'auteur choisit-il de dévoiler toute l'intrigue de la nouvelle dès les premières lignes du texte ?
❸ Relisez les paroles de Rosalie page 37 (l. 55-75). Quelle ponctuation est la plus employée ? Quel effet de réel recherche ici l'auteur ?
❹ Rosalie Prudent est d'origine populaire ; comment cela se perçoit-il dans ses paroles ? Relevez deux exemples différents.
❺ Selon vous, quel effet produit la chute de la nouvelle : « L'autre est dans les fraisiers, au bord du puits » (p. 39) ?

*Rappelez-vous !*
Au XIXe siècle, de nombreux écrivains s'inspirent des faits divers pour écrire des récits brefs dont l'action est simple dans sa construction. Certains auteurs, comme Maupassant, publient leurs textes dans des journaux. Deux ou trois colonnes suffisent pour un récit complet. C'est donc en partie à la presse que la nouvelle doit son écriture condensée.

# De la lecture à l'écriture

## Des mots pour mieux écrire

❶ ***Complétez chacune des phrases suivantes avec les mots qui conviennent et accordez-les correctement :*** infanticide, précaution oratoire, réminiscence, cas pathologique, entendement.

**a.** M. d'Hubières, par des efforts et des ____________, réussit à convaincre les Vallin de vendre leur fils.

**b.** Berthe est une enfant malade, nous dirions aujourd'hui qu'elle est autiste ; c'est un ____________ qui intéresse le docteur Bonnet.

**c.** Faire la différence entre les gens qui l'entourent, son père, sa mère ou les serviteurs, dépasse l'____________ de Berthe, qui n'arrive pas à communiquer.

**d.** Les moindres souvenirs, les moindres ____________ de sa vie d'épouse lui seraient fatals selon le docteur Bonnet.

**e.** Rosalie Prudent est accusée d'____________ par le tribunal ; elle sera pourtant acquittée.

❷ ***Dans un dictionnaire d'étymologie, cherchez l'étymologie du nom*** passion.

***Trouvez trois autres mots de la même famille. Leur sens est-il plus proche de l'amour ou de la folie ?***

## À vous d'écrire

❶ Devenu adulte, Jean Vallin décide d'écrire à ses parents pour les remercier de l'avoir cédé à ses parents adoptifs, les d'Hubières.

*Consignes.* Rédigez une lettre d'une trentaine de lignes. Vous respecterez les codes de la lettre : destinataire, lieu et date, formule d'appel et formule finale.

❷ Vous êtes avocat et vous défendez les intérêts de Rosalie Prudent. Rédigez la plaidoirie que vous prononcerez aux assises.
***Consigne.*** D'une trentaine de lignes, votre plaidoirie rappellera les faits et présentera des arguments pour défendre Rosalie Prudent.

# Du texte à l'image

**Honoré Daumier, *Monsieur Prudhomme*, 1852.**
**(Image reproduite en début d'ouvrage, au verso de la couverture.)**

## *Lire l'image*

❶ Décrivez précisément la tenue et la posture de ce personnage.
❷ D'après vous, à quelle classe sociale appartient-il ?
❸ Quels sont les traits de caractère que l'on peut prêter à ce personnage ?

## *Comparer le texte et l'image*

❹ Ce portrait est-il réaliste ou caricatural ? Justifiez votre réponse.
❺ Comparez le regard que portent Daumier, le dessinateur, et Maupassant, l'auteur, sur les bourgeois du XIXe siècle.
❻ Quel personnage des nouvelles de ce recueil ressemble à ce bourgeois ? Justifiez votre choix.

## *À vous de créer*

❼ Créez une bulle traduisant les pensées du personnage.
❽ Trouvez des noms de famille à ce personnage ; ceux-ci devront être révélateurs des traits de caractère que vous lui prêtez.

# Histoire vraie

Première parution
dans *Le Gaulois*
du 18 juin 1882

Un grand vent soufflait au-dehors, un vent d'automne mugissant et galopant, un de ces vents qui tuent les dernières feuilles et les emportent jusqu'aux nuages.

Les chasseurs achevaient leur dîner, encore bottés, rouges, animés, allumés. C'étaient de ces demi-seigneurs normands, mi-hobereaux [1], mi-paysans, riches et vigoureux, taillés pour casser les cornes des bœufs lorsqu'ils les arrêtent dans les foires.

Ils avaient chassé tout le jour sur les terres de maître Blondel, le maire d'Éparville [2], et ils mangeaient maintenant autour de la grande table, dans l'espèce de ferme-château dont était propriétaire leur hôte.

Ils parlaient comme on hurle, riaient comme rugissent les fauves, et buvaient comme des citernes, les jambes allongées, les coudes sur la nappe, les yeux luisants sous la flamme des lampes, chauffés par un foyer formidable qui jetait au plafond des lueurs sanglantes; ils causaient de chasse et de chiens. Mais ils étaient, à l'heure où d'autres idées viennent aux hommes, à moitié gris [3], et tous suivaient de l'œil une forte fille aux joues rebondies qui portait au bout de ses poings rouges les larges plats chargés de nourritures.

Soudain un grand diable qui était devenu vétérinaire après

---

1. **Hobereaux**: gentilhommes campagnards.
2. Toutes les communes françaises mentionnées dans cette nouvelle sont situées en Normandie. Il arrive que ces noms de villes soient parfois légèrement modifiés par Guy de Maupassant.
3. **Gris**: ici, ivres.

avoir étudié pour être prêtre, et qui soignait toutes les bêtes de l'arrondissement, M. Séjour, s'écria :

« Crébleu, maît' Blondel, vous avez là une bobonne qui n'est
25 pas piquée des vers. »

Et un rire retentissant éclata. Alors un vieux noble déclassé, tombé dans l'alcool, M. de Varnetot, éleva la voix :

« C'est moi qui ai eu jadis une drôle d'histoire avec une fillette comme ça ! Tenez, il faut que je vous la raconte. Toutes les fois que
30 j'y pense, ça me rappelle Mirza, ma chienne, que j'avais vendue au comte d'Haussonnel et qui revenait tous les jours, dès qu'on la lâchait, tant elle ne pouvait me quitter. À la fin je m'suis fâché et j'ai prié l'comte de la tenir à la chaîne. Savez-vous c'qu'elle a fait c'te bête ? Elle est morte de chagrin.

35 « Mais, pour en revenir à ma bonne, v'là l'histoire. »

*

J'avais alors vingt-cinq ans et je vivais en garçon, dans mon château de Villebon. Vous savez, quand on est jeune, et qu'on a des rentes, et qu'on s'embête tous les soirs après dîner, on a l'œil de tous les côtés.

40 Bientôt je découvris une jeunesse [1] qui était en service chez Déboultot, de Cauville. Vous avez bien connu Déboultot, vous, Blondel ! Bref, elle m'enjôla [2] si bien, la gredine, que j'allai un jour trouver son maître et je lui proposai une affaire. Il me céderait sa servante et je lui vendrais ma jument noire, Cocote, dont il avait
45 envie depuis bientôt deux ans. Il me tendit la main : « Topez là [3], monsieur de Varnetot. » C'était marché conclu ; la petite vint au château et je conduisis moi-même à Cauville ma jument, que je laissai pour trois cents écus.

---

1. **Jeunesse** : ici, jeune fille (familier).
2. **M'enjôla** : me séduisit.
3. **Topez là** : j'accepte.

Dans les premiers temps, ça alla comme sur des roulettes. Personne ne se doutait de rien; seulement Rose m'aimait un peu trop pour mon goût. C't'enfant-là, voyez-vous, ce n'était pas n'importe qui. Elle devait avoir quéqu'chose de pas commun dans les veines. Ça venait encore de quéqu' fille qui aura fauté avec son maître.

Bref, elle m'adorait. C'était des cajoleries, des mamours, des p'tits noms de chien, un tas d'gentillesses à me donner des réflexions.

Je me disais: « Faut pas qu'ça dure, ou je me laisserai prendre! » Mais on ne me prend pas facilement, moi. Je ne suis pas de ceux qu'on enjôle avec deux baisers. Enfin j'avais l'œil; quand elle m'annonça qu'elle était grosse [1].

Pif! pan! c'est comme si on m'avait tiré deux coups de fusil dans la poitrine. Et elle m'embrassait, elle m'embrassait, elle riait, elle dansait, elle était folle, quoi! Je ne dis rien le premier jour; mais, la nuit, je me raisonnai. Je pensais: « Ça y est; mais faut parer le coup, et couper le fil, il n'est que temps. » Vous comprenez, j'avais mon père et ma mère à Barneville, et ma sœur mariée au marquis d'Yspare, à Rollebec, à deux lieues de Villebon. Pas moyen de blaguer.

Mais comment me tirer d'affaire? Si elle quittait la maison, on se douterait de quelque chose et on jaserait [2]. Si je la gardais, on verrait bientôt l'bouquet; et puis, je ne pouvais la lâcher comme ça.

J'en parlai à mon oncle, le baron de Creteuil, un vieux lapin qui en a connu plus d'une, et je lui demandai un avis. Il me répondit tranquillement:

« Il faut la marier, mon garçon. »

Je fis un bond.

« La marier, mon oncle, mais avec qui? »

---

1. **Grosse**: ici, enceinte.
2. **Jaserait**: médirait.

80 Il haussa doucement les épaules :

« Avec qui tu voudras, c'est ton affaire et non la mienne. Quand on n'est pas bête on trouve toujours. »

Je réfléchis bien huit jours à cette parole, et je finis par me dire à moi-même : « Il a raison, mon oncle. »

85 Alors, je commençai à me creuser la tête et à chercher ; quand un soir le juge de paix, avec qui je venais de dîner, me dit :

« Le fils de la mère Paumelle vient encore de faire une bêtise ; il finira mal, ce garçon-là. Il est bien vrai que bon chien chasse de race[1]. »

90 Cette mère Paumelle était une vieille rusée dont la jeunesse avait laissé à désirer. Pour un écu, elle aurait vendu certainement son âme, et son garnement de fils par-dessus le marché.

J'allai la trouver, et tout doucement, je lui fis comprendre la chose.

95 Comme je m'embarrassais dans mes explications, elle me demanda tout à coup :

« Qué qu'vous lui donnerez, à c'te p'tite ? »

Elle était maligne, la vieille, mais moi, pas bête, j'avais préparé mon affaire.

100 Je possédais justement trois lopins de terre perdus auprès de Sasseville, qui dépendaient de mes trois fermes de Villebon. Les fermiers se plaignaient toujours que c'était loin ; bref, j'avais repris ces trois champs, six acres[2] en tout, et, comme mes paysans criaient, je leur avais remis, pour jusqu'à la fin de chaque 105 bail[3], toutes leurs redevances[4] en volailles. De cette façon, la chose passa. Alors, ayant acheté un bout de côte à mon voisin M. d'Aumonté, je faisais construire une masure dessus, le tout

---

1. **Bon chien chasse de race** : proverbe signifiant que l'on hérite généralement des qualités et des défauts de sa famille.
2. **Six acres** : environ cinq mille deux cents mètres carrés.
3. **Bail** : convention par laquelle un bailleur loue à autrui un bien pour un temps et un prix déterminés.
4. **Redevances** : ici, salaires.

pour quinze cents francs. De la sorte, je venais de constituer un petit bien qui ne me coûtait pas grand-chose, et je le donnais en dot à la fillette.

La vieille se récria : ce n'était pas assez ; mais je tins bon, et nous nous quittâmes sans rien conclure.

Le lendemain, dès l'aube, le gars vint me trouver. Je ne me rappelais guère sa figure. Quand je le vis, je me rassurai ; il n'était pas mal pour un paysan ; mais il avait l'air d'un rude coquin.

Il prit la chose de loin, comme s'il venait acheter une vache. Quand nous fûmes d'accord, il voulut voir le bien ; et nous voilà partis à travers champs. Le gredin me fit bien rester trois heures sur les terres ; il les arpentait, les mesurait, en prenait des mottes qu'il écrasait dans ses mains, comme s'il avait peur d'être trompé sur la marchandise. La masure n'étant pas encore couverte, il exigea de l'ardoise au lieu de chaume parce que cela demande moins d'entretien !

Puis il me dit :

« Mais l'mobilier, c'est vous qui le donnez ? »

Je protestai :

« Non pas ; c'est déjà beau de vous donner une ferme. »

Il ricana :

« J'crai ben, une ferme et un éfant. »

Je rougis malgré moi. Il reprit :

« Allons, vous donnerez l'lit, une table, l'ormoire, trois chaises et pi la vaisselle, ou ben rien d'fait. »

J'y consentis.

Et nous voilà en route pour revenir. Il n'avait pas encore dit un mot de la fille. Mais tout à coup, il demanda d'un air sournois et gêné :

« Mais, si a mourait, à qui qu'il irait, çu bien ? »

Je répondis :

« Mais à vous, naturellement. »

C'était tout ce qu'il voulait savoir depuis le matin. Aussitôt, il me tendit la main d'un mouvement satisfait. Nous étions d'accord.

Oh ! par exemple, j'eus du mal pour décider Rose. Elle se traînait à mes pieds, elle sanglotait, elle répétait : « C'est vous qui me proposez ça ! c'est vous ! c'est vous ! » Pendant plus d'une semaine, elle résista malgré mes raisonnements et mes prières. C'est bête, les femmes ; une fois qu'elles ont l'amour en tête, elles ne comprennent plus rien. Il n'y a pas de sagesse qui tienne, l'amour avant tout, tout pour l'amour !

À la fin je me fâchai et la menaçai de la jeter dehors. Alors elle céda peu à peu, à condition que je lui permettrais de venir me voir de temps en temps.

Je la conduisis moi-même à l'autel, je payai la cérémonie, j'offris à dîner à toute la noce. Je fis grandement les choses, enfin. Puis : « Bonsoir mes enfants ! » J'allai passer six mois chez mon frère en Touraine.

Quand je fus de retour, j'appris qu'elle était venue chaque semaine au château me demander. Et j'étais à peine arrivé depuis une heure que je la vis entrer avec un marmot dans ses bras. Vous me croirez si vous voulez, mais ça me fit quelque chose de voir ce mioche. Je crois même que je l'embrassai.

Quant à la mère, une ruine, un squelette, une ombre. Maigre, vieillie. Bigre de bigre, ça ne lui allait pas, le mariage ! Je lui demandai machinalement :

« Es-tu heureuse ? »

Alors elle se mit à pleurer comme une source, avec des hoquets, des sanglots, et elle criait :

« Je n'peux pas, je n'peux pas m'passer de vous maintenant. J'aime mieux mourir, je n'peux pas ! »

Elle faisait un bruit du diable. Je la consolai comme je pus et je la reconduisis à la barrière.

J'appris en effet que son mari la battait ; et que sa belle-mère lui rendait la vie dure, la vieille chouette.

Deux jours après elle revenait. Et elle me prit dans ses bras, elle se traîna par terre :

« Tuez-moi, mais je n'veux pas retourner là-bas. »

Tout à fait ce qu'aurait dit Mirza si elle avait parlé !

Ça commençait à m'embêter, toutes ces histoires ; et je filai pour six mois encore. Quand je revins… Quand je revins, j'appris qu'elle était morte trois semaines auparavant, après être revenue au château tous les dimanches… toujours comme Mirza. L'enfant aussi était mort huit jours après.

Quant au mari, le madré coquin, il héritait. Il a bien tourné depuis, paraît-il, il est maintenant conseiller municipal.

*

Puis, M. de Varnetot ajouta en riant :

« C'est égal, c'est moi qui ai fait sa fortune à celui-là ! »

Et M. Séjour, le vétérinaire, conclut gravement en portant à sa bouche un verre d'eau-de-vie :

« Tout ce que vous voudrez, mais des femmes comme ça, il n'en faut pas. »

# Première neige

Première parution
dans *Le Gaulois*
du 11 décembre 1883

Il plante le décor

La longue promenade de la Croisette [1] s'arrondit au bord de l'eau bleue. Là-bas, à droite, l'Esterel [2] s'avance au loin dans la mer. Il barre la vue, fermant l'horizon par le joli décor méridional de ses sommets pointus, nombreux et bizarres.

À gauche les îles Sainte-Marguerite et Saint-Honorat, couchées dans l'eau, montrent leur dos, couvert de sapins.

Et tout le long du large golfe, tout le long des grandes montagnes assises autour de Cannes, le peuple blanc des villas semble endormi dans le soleil. On les voit au loin, les maisons claires, semées du haut en bas des monts, tachant de points de neige la verdure sombre.

Les plus proches de l'eau ouvrent leurs grilles sur la vaste promenade que viennent baigner les flots tranquilles. Il fait bon, il fait doux. C'est un tiède jour d'hiver où passe à peine un frisson de fraîcheur. Par-dessus les murs des jardins, on aperçoit les orangers et les citronniers pleins de fruits d'or. Des dames vont à pas lents sur le sable de l'avenue, suivies d'enfants qui roulent des cerceaux, ou causant avec des messieurs.

Une jeune femme vient de sortir de sa petite et coquette maison dont la porte est sur la Croisette. Elle s'arrête un instant à regarder les promeneurs, sourit et gagne, d'une allure accablée, un

1. **Promenade de la Croisette**: avenue le long du littoral de Cannes.
2. **L'Esterel**: massif montagneux, situé en Provence près de Cannes, dans le Sud-Est de la France.

banc vide en face de la mer. Fatiguée d'avoir fait vingt pas, elle s'assied en haletant. Son pâle visage semble celui d'une morte. Elle tousse, et porte à ses lèvres ses doigts transparents comme pour arrêter ces secousses qui l'épuisent.

Elle regarde le ciel plein de soleil et d'hirondelles, les sommets capricieux de l'Esterel là-bas, et, tout près, la mer si bleue, si tranquille, si belle.

Elle sourit encore, et murmure :

« Oh ! que je suis heureuse. »

Elle sait pourtant qu'elle va mourir, qu'elle ne verra point le printemps, que, dans un an, le long de la même promenade, ces mêmes gens qui passent devant elle viendront encore respirer l'air tiède de ce doux pays, avec leurs enfants un peu plus grands, avec le cœur toujours rempli d'espoirs, de tendresses, de bonheur, tandis qu'au fond d'un cercueil de chêne la pauvre chair qui lui reste encore aujourd'hui sera tombée en pourriture, laissant ses os seulement couchés dans la robe de soie qu'elle a choisie pour linceul[1].

Elle ne sera plus. Toutes les choses de la vie continueront pour d'autres. Ce sera fini pour elle, fini pour toujours. Elle ne sera plus. Elle sourit, et respire tant qu'elle peut, de ses poumons malades, les souffles parfumés des jardins.

Et elle songe.

Elle se souvient. On l'a mariée, voici quatre ans, avec un gentilhomme normand. C'était un fort garçon barbu, coloré, large d'épaules, d'esprit court et de joyeuse humeur.

On les accoupla pour des raisons de fortune qu'elle ne connut point. Elle aurait volontiers dit « non ». Elle fit « oui » d'un mouvement de tête, pour ne point contrarier père et mère. Elle était parisienne, gaie, heureuse de vivre.

Son mari l'emmena en son château normand. C'était un vaste

---

1. **Linceul** : tissu dans lequel on ensevelit un mort.

bâtiment de pierre entouré de grands arbres très vieux. Un haut massif de sapins arrêtait le regard en face. Sur la droite, une trouée donnait vue sur la plaine qui s'étalait, toute nue, jusqu'aux fermes lointaines. Un chemin de traverse passait devant la barrière et conduisait à la grand-route éloignée de trois kilomètres.

Oh ! elle se rappelle tout : son arrivée, sa première journée en sa nouvelle demeure, et sa vie isolée ensuite.

Quand elle descendit de voiture, elle regarda le vieux bâtiment et déclara, en riant :

« Ça n'est pas gai ! »

Son mari se mit à rire à son tour et répondit :

« Baste[1] ! on s'y fait. Tu verras. Je ne m'y ennuie jamais, moi. »

Ce jour-là, ils passèrent le temps à s'embrasser, et elle ne le trouva pas trop long. Le lendemain ils recommencèrent et toute la semaine, vraiment, fut mangée par les caresses.

Puis elle s'occupa d'organiser son intérieur. Cela dura bien un mois. Les jours passaient, l'un après l'autre, en des occupations insignifiantes et cependant absorbantes. Elle apprenait la valeur et l'importance des petites choses de la vie. Elle sut qu'on peut s'intéresser au prix des œufs qui coûtent quelques centimes de plus ou de moins suivant les saisons.

C'était l'été. Elle allait aux champs voir moissonner. La gaieté du soleil entretenait celle de son cœur.

L'automne vint. Son mari se mit à chasser. Il sortait le matin avec ses deux chiens Médor et Mirza. Elle restait seule alors, sans s'attrister d'ailleurs de l'absence d'Henry. Elle l'aimait bien, pourtant, mais il ne lui manquait pas. Quand il rentrait, les chiens surtout absorbaient sa tendresse. Elle les soignait chaque soir avec une affection de mère, les caressait sans fin, leur donnait mille petits noms charmants qu'elle n'eût point eu l'idée d'employer pour son mari.

Il lui racontait invariablement sa chasse. Il désignait les places

1. **Baste** : ça suffit.

où il avait rencontré les perdrix ; s'étonnait de n'avoir point trouvé de lièvre dans le trèfle de Joseph Ledentu, ou bien paraissait indigné du procédé de M. Lechapelier, du Havre, qui suivait sans cesse la lisière de ses terres pour tirer le gibier levé par lui, Henry de Parville.

Elle répondait :

« Oui, vraiment, ce n'est pas bien », en pensant à autre chose.

L'hiver vint, l'hiver normand, froid et pluvieux. Les interminables averses tombaient sur les ardoises du grand toit anguleux, dressé comme une lame vers le ciel. Les chemins semblaient des fleuves de boue ; la campagne, une plaine de boue ; et on n'entendait aucun bruit que celui de l'eau tombant ; on ne voyait aucun mouvement que le vol tourbillonnant des corbeaux qui se déroulait comme un nuage, s'abattait dans un champ, puis repartait.

Vers quatre heures, l'armée des bêtes sombres et volantes venait se percher dans les grands hêtres à gauche du château, en poussant des cris assourdissants. Pendant près d'une heure, ils voletaient de cime en cime, semblaient se battre, croassaient, mettaient dans le branchage grisâtre un mouvement noir.

Elle les regardait, chaque soir, le cœur serré, toute pénétrée par la lugubre mélancolie de la nuit tombant sur les terres désertes.

Puis elle sonnait pour qu'on apportât la lampe ; et elle se rapprochait du feu. Elle brûlait des monceaux de bois[1] sans parvenir à échauffer les pièces immenses envahies par l'humidité. Et elle avait froid tout le jour, partout, au salon, aux repas, dans sa chambre. Elle avait froid, jusqu'aux os, lui semblait-il. Son mari ne rentrait que pour dîner, car il chassait sans cesse, ou bien s'occupait des semences, des labours, de toutes les choses de la campagne.

Il rentrait joyeux et crotté, se frottait les mains, déclarait :

« Quel fichu temps ! »

---

1. **Monceaux de bois** : grandes quantités de bois.

Ou bien :
« C'est bon d'avoir du feu ! »
Ou parfois il demandait :
120 « Qu'est-ce qu'on dit aujourd'hui ? Est-on contente ? »
Il était heureux, bien portant, sans désirs, ne rêvant pas autre chose que cette vie simple, saine et tranquille.
Vers décembre, quand les neiges arrivèrent, elle souffrit tellement de l'air glacé du château, du vieux château qui semblait
125 s'être refroidi avec les siècles, comme font les humains avec les ans, qu'elle demanda, un soir, à son mari :
« Dis donc, Henry, tu devrais bien faire mettre ici un calorifère[1] ; cela sécherait les murs. Je t'assure que je ne peux pas me réchauffer du matin au soir. »
130 Il demeura d'abord interdit à cette idée extravagante d'installer un calorifère en son manoir. Il lui eût semblé plus naturel de servir ses chiens dans de la vaisselle plate. Puis il poussa, de toute la vigueur de sa poitrine, un rire énorme, en répétant :
« Un calorifère ici ! Un calorifère ici ! Ah ! ah ! ah ! quelle bonne
135 farce ! »
Elle insistait :
« Je t'assure qu'on gèle, mon ami ; tu ne t'en aperçois pas, parce que tu es toujours en mouvement, mais on gèle. »
Il répondit, en riant toujours :
140 « Baste ! on s'y fait, et d'ailleurs c'est excellent pour la santé. Tu ne t'en porteras que mieux. Nous ne sommes pas des Parisiens, sacrebleu ! pour vivre dans les tisons[2]. Et, d'ailleurs, voici le printemps tout à l'heure. »

Vers le commencement de janvier un grand malheur la frappa.
145 Son père et sa mère moururent d'un accident de voiture. Elle

1. **Calorifère** : ancêtre du chauffage central.
2. **Vivre dans les tisons** : vivre avec un feu, une cheminée allumée.

vint à Paris pour les funérailles. Et le chagrin occupa seul son esprit pendant six mois environ.

La douceur des beaux jours finit par la réveiller, et elle se laissa vivre dans un alanguissement[1] triste jusqu'à l'automne.

Quand revinrent les froids, elle envisagea, pour la première fois, le sombre avenir. Que ferait-elle ? Rien. Qu'arriverait-il désormais pour elle ? Rien. Quelle attente, quelle espérance pouvaient ranimer son cœur ? Aucune. Un médecin, consulté, avait déclaré qu'elle n'aurait jamais d'enfants.

Plus âpre, plus pénétrant encore que l'autre année, le froid la faisait continuellement souffrir. Elle tendait aux grandes flammes ses mains grelottantes. Le feu flamboyant lui brûlait le visage ; mais des souffles glacés semblaient se glisser dans son dos, pénétrer entre la chair et les étoffes. Et elle frémissait de la tête aux pieds. Des courants d'air innombrables paraissaient installés dans les appartements, des courants d'air vivants, sournois, acharnés comme des ennemis. Elle les rencontrait à tout instant ; ils lui soufflaient sans cesse, tantôt sur le visage, tantôt sur les mains, tantôt sur le cou, leur haine perfide et gelée.

Elle parla de nouveau d'un calorifère ; mais son mari l'écouta comme si elle lui eût demandé la lune. L'installation d'un appareil semblable à Parville lui paraissait aussi impossible que la découverte de la pierre philosophale[2].

Ayant été à Rouen, un jour, pour affaire, il rapporta à sa femme une mignonne chaufferette[3] de cuivre qu'il appelait en riant un « calorifère portatif » ; et il jugeait que cela suffirait désormais à l'empêcher d'avoir jamais froid.

---

1. **Alanguissement** : état qui résulte d'une perte d'énergie, d'un affaiblissement.
2. **Pierre philosophale** : pierre qui, selon les alchimistes, devait permettre la transformation des métaux en or.
3. **Chaufferette** : boîte à couvercle percé de trous, contenant de la braise ou de l'eau chaude, pour se chauffer les mains ou les pieds.

Vers la fin de décembre, elle comprit qu'elle ne pourrait vivre ainsi toujours, et elle demanda timidement, un soir, en dînant :

« Dis donc, mon ami, est-ce que nous n'irons point passer une semaine ou deux à Paris avant le printemps ? »

Il fut stupéfait.

« À Paris ? à Paris ? Mais pour quoi faire ? Ah ! mais non, par exemple ! On est trop bien ici, chez soi. Quelles drôles d'idées tu as par moments ! »

Elle balbutia :

« Cela nous distrairait un peu. »

Il ne comprenait pas.

« Qu'est-ce qu'il te faut pour te distraire ? Des théâtres, des soirées, des dîners en ville ? Tu savais pourtant bien en venant ici que tu ne devais pas t'attendre à des distractions de cette nature ! »

Elle vit un reproche dans ces paroles et dans le ton dont elles étaient dites. Elle se tut. Elle était timide et douce, sans révoltes et sans volonté.

En janvier, les froids revinrent avec violence. Puis la neige couvrit la terre.

Un soir, comme elle regardait le grand nuage tournoyant des corbeaux se déployer autour des arbres, elle se mit, malgré elle, à pleurer.

Son mari entrait. Il demanda tout surpris :

« Qu'est-ce que tu as donc ? »

Il était heureux, lui, tout à fait heureux, n'ayant jamais rêvé une autre vie, d'autres plaisirs. Il était né dans ce triste pays, il y avait grandi, il s'y trouvait bien, chez lui, à son aise de corps et d'esprit.

Il ne comprenait pas qu'on pût désirer des événements, avoir soif de joies changeantes ; il ne comprenait point qu'il ne semble pas naturel à certains êtres de demeurer aux mêmes lieux pendant les quatre saisons ; il semblait ne pas savoir que le printemps, que l'été, que l'automne, que l'hiver ont, pour des multitudes de personnes, des plaisirs nouveaux en des contrées nouvelles.

Elle ne pouvait rien répondre et s'essuyait vivement les yeux. Elle balbutia enfin, éperdue[1]:

«J'ai… je… je suis un peu triste… je m'ennuie un peu…»

210 Mais une terreur la saisit d'avoir dit cela, et elle ajouta bien vite:

«Et puis… j'ai… j'ai un peu froid.»

À cette parole, il s'irrita:

«Ah! oui… toujours ton idée de calorifère. Mais voyons, sacrebleu!
215 tu n'as seulement pas eu un rhume depuis que tu es ici.»

La nuit vint. Elle monta dans sa chambre, car elle avait exigé une chambre séparée. Elle se coucha. Même en son lit, elle avait froid. Elle pensait:

«Ce sera ainsi toujours, toujours, jusqu'à la mort.»

220 Et elle songeait à son mari. Comment avait-il pu lui dire cela:

«Tu n'as seulement pas eu un rhume depuis que tu es ici.»

Il fallait donc qu'elle fût malade, qu'elle toussât pour qu'il comprît qu'elle souffrait!

Et une indignation la saisit, une indignation exaspérée de fai-
225 ble, de timide.

Il fallait qu'elle toussât. Alors il aurait pitié d'elle, sans doute. Eh bien! elle tousserait; il l'entendrait tousser; il faudrait appeler le médecin; il verrait cela, son mari, il verrait!

Elle s'était levée nu-jambes, nu-pieds, et une idée enfantine
230 la fit sourire:

«Je veux un calorifère, et je l'aurai. Je tousserai tant, qu'il faudra bien qu'il se décide à en installer un.»

Et elle s'assit presque nue, sur une chaise. Elle attendit une heure, deux heures. Elle grelottait, mais elle ne s'enrhumait pas.
235 Alors elle se décida à employer les grands moyens.

Elle sortit de sa chambre sans bruit, descendit l'escalier, ouvrit la porte du jardin.

1. **Éperdue**: égarée, sous l'effet d'une vive émotion.

La terre, couverte de neige, semblait morte. Elle avança brusquement son pied nu et l'enfonça dans cette mousse légère et glacée. Une sensation de froid, douloureuse comme une blessure, lui monta jusqu'au cœur ; cependant elle allongea l'autre jambe et se mit à descendre les marches lentement.

Puis elle s'avança à travers le gazon, se disant :

« J'irai jusqu'aux sapins. »

Elle allait à petits pas, en haletant, suffoquée chaque fois qu'elle faisait pénétrer son pied nu dans la neige.

Elle toucha de la main le premier sapin comme pour bien se convaincre elle-même qu'elle avait accompli jusqu'au bout son projet ; puis elle revint. Elle crut deux ou trois fois qu'elle allait tomber, tant elle se sentait engourdie et défaillante. Avant de rentrer toutefois, elle s'assit dans cette écume gelée, et même, elle en ramassa pour se frotter la poitrine.

Puis elle rentra et se coucha. Il lui sembla, au bout d'une heure, qu'elle avait une fourmilière dans la gorge. D'autres fourmis lui couraient le long des membres. Elle dormit cependant.

Le lendemain elle toussait, et elle ne put se lever.

Elle eut une fluxion de poitrine. Elle délira, et dans son délire elle demandait un calorifère. Le médecin exigea qu'on en installât un. Henry céda, mais avec une répugnance irritée.

Elle ne put guérir. Les poumons atteints profondément donnaient des inquiétudes pour sa vie.

« Si elle reste ici, elle n'ira pas jusqu'aux froids », dit le médecin.

On l'envoya dans le Midi.

Elle vint à Cannes, connut le soleil, aima la mer, respira l'air des orangers en fleur.

Puis elle retourna dans le Nord au printemps.

Mais elle vivait maintenant avec la peur de guérir, avec la peur des longs hivers de Normandie ; et, sitôt qu'elle allait mieux, elle ouvrait, la nuit, sa fenêtre, en songeant aux doux rivages de la Méditerranée.

À présent, elle va mourir ; elle le sait. Elle est heureuse.

Elle déploie un journal qu'elle n'avait point ouvert, et lit ce titre : « La première neige à Paris. »

Alors elle frissonne, et puis sourit. Elle regarde là-bas l'Esterel
275 qui devient rose sous le soleil couchant ; elle regarde le vaste ciel bleu, si bleu, la vaste mer bleue, si bleue, et se lève.

Et puis elle rentre, à pas lents, s'arrêtant seulement pour tousser, car elle est demeurée trop tard dehors, et elle a eu froid, un peu froid.

280 Elle trouve une lettre de son mari. Elle l'ouvre en souriant toujours et elle lit :

« Ma chère amie,

J'espère que tu vas bien et que tu ne regrettes pas trop notre beau pays. Nous avons depuis quelques jours une bonne gelée
285 qui annonce la neige. Moi, j'adore ce temps-là et tu comprends que je me garde bien d'allumer ton maudit calorifère... »

Elle cesse de lire, tout heureuse à cette idée qu'elle l'a eu, son calorifère. Sa main droite, qui tient la lettre, retombe lentement sur ses genoux, tandis qu'elle porte à sa bouche sa main
290 gauche comme pour calmer la toux opiniâtre [1] qui lui déchire la poitrine.

---

1. **Toux opiniâtre** : toux persistante, continue.

# La rempailleuse

Première parution
dans *Le Gaulois*
du 17 septembre 1882

*À Léon Hennique*[1].

C'était à la fin du dîner d'ouverture de chasse chez le marquis de Bertrans. Onze chasseurs, huit jeunes femmes et le médecin du pays étaient assis autour de la grande table illuminée, couverte de fruits et de fleurs.

On vint à parler d'amour, et une grande discussion s'éleva, l'éternelle discussion, pour savoir si on pouvait aimer vraiment une fois ou plusieurs fois. On cita des exemples de gens n'ayant jamais eu qu'un amour sérieux; on cita aussi d'autres exemples de gens ayant aimé souvent, avec violence. Les hommes, en général, prétendaient que la passion, comme les maladies, peut frapper plusieurs fois le même être, et le frapper à le tuer si quelque obstacle se dresse devant lui. Bien que cette manière de voir ne fût pas contestable, les femmes, dont l'opinion s'appuyait sur la poésie bien plus que sur l'observation, affirmaient que l'amour, l'amour vrai, le grand amour, ne pouvait tomber qu'une fois sur un mortel, qu'il était semblable à la foudre, cet amour, et qu'un cœur touché par lui demeurait ensuite tellement vidé, ravagé, incendié, qu'aucun autre sentiment puissant, même aucun rêve, n'y pouvait germer de nouveau.

Le marquis ayant aimé beaucoup, combattait vivement cette croyance:

---

1. **Léon Hennique** (1851-1935): romancier naturaliste et auteur dramatique français.

«Je vous dis, moi, qu'on peut aimer plusieurs fois avec toutes ses forces et toute son âme. Vous me citez des gens qui se sont tués par amour, comme preuve de l'impossibilité d'une seconde
25 passion. Je vous répondrai que, s'ils n'avaient pas commis cette bêtise de se suicider, ce qui leur enlevait toute chance de rechute, ils se seraient guéris; et ils auraient recommencé, et toujours, jusqu'à leur mort naturelle. Il en est des amoureux comme des ivrognes. Qui a bu boira – qui a aimé aimera. C'est une affaire
30 de tempérament, cela.»

On prit pour arbitre le docteur, vieux médecin parisien retiré aux champs, et on le pria de donner son avis.

Justement il n'en avait pas:

«Comme l'a dit le marquis, c'est une affaire de tempéra-
35 ment; quant à moi, j'ai eu connaissance d'une passion qui dura cinquante-cinq ans sans un jour de répit, et qui ne se termina que par la mort.»

La marquise battit des mains.

«Est-ce beau cela! Et quel rêve d'être aimé ainsi! Quel bonheur
40 de vivre cinquante-cinq ans tout enveloppé de cette affection acharnée et pénétrante! Comme il a dû être heureux et bénir la vie celui qu'on adora de la sorte!»

Le médecin sourit:

«En effet, madame, vous ne vous trompez pas sur ce point, que
45 l'être aimé fut un homme. Vous le connaissez, c'est M. Chouquet, le pharmacien du bourg. Quant à elle, la femme, vous l'avez connue aussi, c'est la vieille rempailleuse de chaises qui venait tous les ans au château. Mais je vais me faire mieux comprendre.»

L'enthousiasme des femmes était tombé; et leur visage dégoûté
50 disait: «Pouah!» comme si l'amour n'eût dû frapper que des êtres fins et distingués, seuls dignes de l'intérêt des gens comme il faut.

Le médecin reprit:

*

J'ai été appelé, il y a trois mois, auprès de cette vieille femme, à son lit de mort. Elle était arrivée, la veille, dans la voiture qui lui servait de maison, traînée par la rosse [1] que vous avez vue, et accompagnée de ses deux grands chiens noirs, ses amis et ses gardiens. Le curé était déjà là. Elle nous fit ses exécuteurs testamentaires, et, pour nous dévoiler le sens de ses volontés dernières, elle nous raconta toute sa vie. Je ne sais rien de plus singulier et de plus poignant.

Son père était rempailleur et sa mère rempailleuse. Elle n'a jamais eu de logis planté en terre.

Toute petite, elle errait, haillonneuse, vermineuse [2], sordide. On s'arrêtait à l'entrée des villages, le long des fossés ; on dételait la voiture ; le cheval broutait ; le chien dormait, le museau sur ses pattes ; et la petite se roulait dans l'herbe pendant que le père et la mère rafistolaient, à l'ombre des ormes du chemin, tous les vieux sièges de la commune. On ne parlait guère, dans cette demeure ambulante. Après les quelques mots nécessaires pour décider qui ferait le tour des maisons en poussant le cri bien connu : « Remmmpailleur de chaises ! » on se mettait à tortiller la paille, face à face ou côte à côte. Quand l'enfant allait trop loin ou tentait d'entrer en relation avec quelque galopin du village, la voix colère du père la rappelait : « Veux-tu bien revenir ici, crapule ! » C'étaient les seuls mots de tendresse qu'elle entendait.

Quand elle devint plus grande, on l'envoya faire la récolte des fonds de sièges avariés. Alors elle ébaucha quelques connaissances de place en place avec les gamins ; mais c'étaient alors les parents de ses nouveaux amis qui rappelaient brutalement leurs enfants : « Veux-tu bien venir ici, polisson ! Que je te voie causer avec les va-nu-pieds !... »

Souvent les petits gars lui jetaient des pierres.

---

1. **Rosse** : mauvais cheval (familier).
2. **Vermineuse** : pouilleuse, couverte de vermine.

Des dames lui ayant donné quelques sous, elle les garda soi-
85 gneusement.

Un jour – elle avait alors onze ans – comme elle passait par ce pays, elle rencontra derrière le cimetière le petit Chouquet qui pleurait parce qu'un camarade lui avait volé deux liards[1]. Ces larmes d'un petit bourgeois, d'un de ces petits qu'elle s'imaginait,
90 dans sa frêle caboche de déshéritée, être toujours contents et joyeux, la bouleversèrent. Elle s'approcha, et, quand elle connut la raison de sa peine, elle versa entre ses mains toutes ses économies, sept sous, qu'il prit naturellement, en essuyant ses larmes. Alors, folle de joie, elle eut l'audace de l'embrasser. Comme il
95 considérait attentivement sa monnaie, il se laissa faire. Ne se voyant ni repoussée, ni battue, elle recommença; elle l'embrassa à pleins bras, à plein cœur. Puis elle se sauva.

Que se passa-t-il dans cette misérable tête? S'est-elle attachée à ce mioche parce qu'elle lui avait sacrifié sa fortune de vagabonde,
100 ou parce qu'elle lui avait donné son premier baiser tendre? Le mystère est le même pour les petits que pour les grands.

Pendant des mois, elle rêva de ce coin de cimetière et de ce gamin. Dans l'espérance de le revoir elle vola ses parents, grappillant un sou par-ci, un sou par-là, sur un rempaillage, ou sur
105 les provisions qu'elle allait acheter.

Quand elle revint, elle avait deux francs dans sa poche, mais elle ne put qu'apercevoir le petit pharmacien, bien propre, derrière les carreaux de la boutique paternelle, entre un bocal rouge et un ténia.

110 Elle ne l'en aima que davantage, séduite, émue, extasiée[2] par cette gloire de l'eau colorée, cette apothéose[3] des cristaux luisants.

Elle garda en elle son souvenir ineffaçable, et, quand elle le

1. **Deux liards**: la moitié d'un sou ; ce qui équivaut à très peu d'argent.
2. **Extasiée**: remplie d'admiration, ravie.
3. **Apothéose**: ici, grande beauté.

rencontra, l'an suivant, derrière l'école, jouant aux billes avec ses camarades, elle se jeta sur lui, le saisit dans ses bras, et le baisa
115 avec tant de violence qu'il se mit à hurler de peur. Alors, pour l'apaiser, elle lui donna son argent : trois francs vingt, un vrai trésor, qu'il regardait avec des yeux agrandis.

Il le prit et se laissa caresser tant qu'elle voulut.

Pendant quatre ans encore, elle versa entre ses mains toutes ses
120 réserves, qu'il empochait avec conscience en échange de baisers consentis. Ce fut une fois trente sous, une fois deux francs, une fois douze sous (elle en pleura de peine et d'humiliation, mais l'année avait été mauvaise) et la dernière fois, cinq francs, une grosse pièce ronde, qui le fit rire d'un rire content.

125 Elle ne pensait plus qu'à lui ; et il attendait son retour avec une certaine impatience, courait au-devant d'elle en la voyant, ce qui faisait bondir le cœur de la fillette.

Puis il disparut. On l'avait mis au collège. Elle le sut en interrogeant habilement. Alors elle usa d'une diplomatie infinie pour
130 changer l'itinéraire de ses parents et les faire passer par ici au moment des vacances. Elle y réussit, mais après un an de ruses. Elle était donc restée deux ans sans le revoir ; et elle le reconnut à peine, tant il était changé, grandi, embelli, imposant dans sa tunique à boutons d'or. Il feignit de ne pas la voir et passa fière-
135 ment près d'elle.

Elle en pleura pendant deux jours ; et depuis lors elle souffrit sans fin.

Tous les ans elle revenait ; passait devant lui sans oser le saluer et sans qu'il daignât même tourner les yeux vers elle. Elle l'aimait
140 éperdument. Elle me dit : « C'est le seul homme que j'aie vu sur la terre, monsieur le médecin ; je ne sais pas si les autres existaient seulement. »

Ses parents moururent. Elle continua leur métier, mais elle prit deux chiens au lieu d'un, deux terribles chiens qu'on n'aurait
145 pas osé braver.

Un jour, en rentrant dans ce village où son cœur était resté, elle aperçut une jeune femme qui sortait de la boutique Chouquet au bras de son bien-aimé. C'était sa femme. Il était marié.

Le soir même, elle se jeta dans la mare qui est sur la place de la
150 Mairie. Un ivrogne attardé la repêcha, et la porta à la pharmacie. Le fils Chouquet descendit en robe de chambre, pour la soigner, et, sans paraître la reconnaître, la déshabilla, la frictionna, puis il lui dit d'une voix dure: « Mais vous êtes folle ! Il ne faut pas être bête comme ça ! »

155 Cela suffit pour la guérir. Il lui avait parlé ! Elle était heureuse pour longtemps.

Il ne voulut rien recevoir en rémunération de ses soins, bien qu'elle insistât vivement pour le payer.

Et toute sa vie s'écoula ainsi. Elle rempaillait en songeant à
160 Chouquet. Tous les ans, elle l'apercevait derrière ses vitraux. Elle prit l'habitude d'acheter chez lui des provisions de menus médicaments. De la sorte elle le voyait de près, et lui parlait, et lui donnait encore de l'argent.

Comme je vous l'ai dit en commençant, elle est morte ce prin-
165 temps. Après m'avoir raconté toute cette triste histoire, elle me pria de remettre à celui qu'elle avait si patiemment aimé toutes les économies de son existence, car elle n'avait travaillé que pour lui, disait-elle, jeûnant même pour mettre de côté, et être sûre qu'il penserait à elle, au moins une fois, quand elle serait morte.
170 Elle me donna donc deux mille trois cent vingt-sept francs. Je laissai à M. le curé les vingt-sept francs pour l'enterrement, et j'emportai le reste quand elle eut rendu le dernier soupir.

Le lendemain, je me rendis chez les Chouquet. Ils achevaient de déjeuner, en face l'un de l'autre, gros et rouges, fleurant les
175 produits pharmaceutiques, importants[1] et satisfaits.

On me fit asseoir; on m'offrit un kirsch, que j'acceptai; et je commençai mon discours d'une voix émue, persuadé qu'ils allaient pleurer.

---

1. **Importants**: ici, qui témoignent une prétention à faire valoir plus qu'ils ne sont.

Dès qu'il eut compris qu'il avait été aimé de cette vagabonde,
180 de cette rempailleuse, de cette rouleuse[1], Chouquet bondit d'indignation, comme si elle lui avait volé sa réputation, l'estime des honnêtes gens, son honneur intime, quelque chose de délicat qui lui était plus cher que la vie.

Sa femme, aussi exaspérée que lui, répétait: « Cette gueuse[2] ! cette
185 gueuse ! cette gueuse !... » Sans pouvoir trouver autre chose.

Il s'était levé ; il marchait à grands pas derrière la table, le bonnet grec chaviré sur une oreille. Il balbutiait : « Comprend-on ça, docteur ? Voilà de ces choses horribles pour un homme ! Que faire ? Oh ! si je l'avais su de son vivant, je l'aurais fait arrêter
190 par la gendarmerie et flanquer en prison. Et elle n'en serait pas sortie, je vous en réponds ! »

Je demeurais stupéfait du résultat de ma démarche pieuse[3]. Je ne savais que dire ni que faire. Mais j'avais à compléter ma mission. Je repris : « Elle m'a chargé de vous remettre ses économies, qui
195 montent à deux mille trois cents francs. Comme ce que je viens de vous apprendre semble vous être fort désagréable, le mieux serait peut-être de donner cet argent aux pauvres. »

Ils me regardaient, l'homme et la femme, perclus[4] de saisissement.

200 Je tirai l'argent de ma poche, du misérable argent de tous les pays et de toutes les marques, de l'or et des sous mêlés. Puis je demandai : « Que décidez-vous ? »

Mme Chouquet parla la première : « Mais, puisque c'était sa dernière volonté, à cette femme... il me semble qu'il nous est
205 bien difficile de refuser. »

Le mari, vaguement confus, reprit : « Nous pourrions toujours acheter avec ça quelque chose pour nos enfants. »

Je dis d'un air sec : « Comme vous voudrez. »

---

1. **Rouleuse** : misérable.
2. **Gueuse** : vagabonde.
3. **Pieuse** : pleine de piété, du désir de bien agir.
4. **Perclus** : ici, frappés d'immobilité sous l'effet d'une vive émotion.

Il reprit : « Donnez toujours, puisqu'elle vous en a chargé ;
210 nous trouverons bien moyen de l'employer à quelque bonne œuvre. »

Je remis l'argent, je saluai et je partis.

Le lendemain Chouquet vint me trouver et, brusquement : « Mais elle a laissé ici sa voiture, cette… cette femme. Qu'est-ce
215 que vous en faites, de cette voiture ?

– Rien, prenez-la si vous voulez.

– Parfait ; cela me va ; j'en ferai une cabane pour mon potager. »

Il s'en allait. Je le rappelai. « Elle a laissé aussi son vieux cheval
220 et ses deux chiens. Les voulez-vous ? » Il s'arrêta, surpris : « Ah ! non, par exemple ; que voulez-vous que j'en fasse ? Disposez-en comme vous voudrez. » Et il riait. Puis il me tendit sa main que je serrai. Que voulez-vous ? Il ne faut pas, dans un pays, que le médecin et le pharmacien soient ennemis.

225 J'ai gardé les chiens chez moi. Le curé, qui a une grande cour, a pris le cheval. La voiture sert de cabane à Chouquet ; et il a acheté cinq obligations de chemin de fer avec l'argent.

Voilà le seul amour profond que j'aie rencontré, dans ma vie.

*

Le médecin se tut.

230 Alors la marquise, qui avait des larmes dans les yeux, soupira : « Décidément, il n'y a que les femmes pour savoir aimer ! »

# Arrêt sur lecture 2

## Un quiz pour commencer

***Cochez les bonnes réponses.***

❶ *Pourquoi peut-on dire qu'« Histoire vraie » est un récit encadré ?*

- ❒ Varnetot dîne avec des amis et leur raconte un épisode de sa jeunesse.
- ❒ Le fils Paumelle raconte à ses amis comment il a connu sa femme.
- ❒ Le vétérinaire Séjour raconte la vie de son ami Varnetot.

❷ *Comment Varnetot acquiert-il sa servante ?*

- ❒ Il l'achète à son maître.
- ❒ Il l'échange contre une jument.
- ❒ Il l'échange contre un lopin de terre.

❸ *Quelle condition le fils Paumelle impose-t-il à Varnetot pour épouser Rose ?*

- ❒ Il exige une rente mensuelle.
- ❒ Il désire que Varnetot paie la noce.
- ❒ Il souhaite être l'héritier de Rose si la jeune femme disparaissait.

❹ ***Quel est le narrateur de « Première neige » ?***

❒ La jeune femme.

❒ Le mari.

❒ Un narrateur omniscient.

❺ ***Quelle est la difficulté principale que l'héroïne de « Première neige » rencontre dans sa vie ?***

❒ Elle s'ennuie dans son château pendant que son mari est à la chasse.

❒ Elle a froid et veut acheter un calorifère.

❒ Elle n'arrive pas à avoir d'enfant.

❻ ***Quelle solution pense-t-elle trouver à sa difficile situation ?***

❒ Elle marche dehors la nuit, presque nue, dans la neige, pour tomber malade.

❒ Elle demande à vivre à Cannes l'hiver, pour être au soleil.

❒ Elle demande au médecin d'intervenir en sa faveur.

❼ ***Quel est l'avis des personnages sur l'amour au début de « La rempailleuse » ?***

❒ Hommes et femmes pensent qu'on ne vit qu'un seul amour dans sa vie.

❒ Les hommes pensent qu'on peut aimer plusieurs fois.

❒ Les femmes pensent qu'on ne vit qu'un seul amour dans sa vie.

❽ ***Comment commence la relation entre la rempailleuse et le petit Chouquet ?***

❒ Elle est pauvre, il lui donne de l'argent et il peut l'embrasser.

❒ On a volé deux liards au garçon, elle lui donne ses économies.

❒ Ils jouent ensemble derrière le cimetière.

❾ ***Comment réagit Chouquet quand il apprend cet amour incroyable ?***

❒ Il est profondément ému.

❒ Il est gêné devant sa femme.

❒ Il est en colère et éprouve de la répugnance à cette idée.

# Des questions pour
# plus loin

## ☛ Étudier les personnages féminins

### « Histoire vraie »

❶ Quels sont les deux événements dans la vie de Rose qui montrent que la jeune femme est considérée comme un « objet » ?

❷ À quel animal Rose est-elle comparée au début et à la fin de la nouvelle ? Expliquez cette comparaison étonnante.

❸ Comment Varnetot fait-il pour se débarrasser de Rose ? Il procède par étapes ; retrouvez ces trois étapes.

❹ Relisez les lignes 116-123, p. 53. Relevez les verbes à l'imparfait et au passé simple. Quelle est la valeur de chaque temps employé ? Tous les imparfaits ont-ils la même valeur ?

❺ Rose meurt à la fin de la nouvelle. Quelles sont les causes de sa mort ?

### « Première neige »

❶ Analysez le portrait de l'héroïne (l. 19-25, p. 59-60) et celui de son mari (l. 45-47, p. 60). Quels sont les traits physiques et moraux de ces deux personnages ? Montrez en quoi ils s'opposent.

❷ L'histoire se déroule dans trois lieux géographiques. Précisez lesquels. Pourquoi ces lieux sont-ils fondamentaux pour l'héroïne ?

❸ « On l'envoya dans le Midi » (l. 263, p. 67). Qui est représenté par le pronom personnel « on » ?

❹ Pour quelle raison l'héroïne sort-elle presque nue marcher dans la neige ?

❺ La nouvelle commence au présent de l'indicatif puis à la page 60 l'auteur emploie les temps du passé. Quelles phrases permettent le passage de l'un à l'autre ? Pourquoi ce changement de temps à votre avis ?

❻ Comment comprenez-vous le titre de cette nouvelle ? Qu'est-ce qu'il nous indique sur le personnage féminin ?

## …a rempailleuse »

❶ Quels termes qualifient la rempailleuse au début de la nouvelle ? Ces termes sont-ils mélioratifs ou péjoratifs ?

❷ Pouvez-vous donner l'identité de la rempailleuse ? Pour quelle raison Maupassant a-t-il fait ce choix ?

❸ À travers les actions de la rempailleuse, dites quel portrait Maupassant brosse de son personnage. Quel trait de caractère apparaît de façon évidente ?

❹ En relisant tout le texte, relevez le champ lexical de l'argent. Ce champ lexical est-il très présent dans la nouvelle ? Pour quelle raison à votre avis ?

❺ Comment sont finalement répartis les biens de la rempailleuse à sa mort ? Pourquoi est-ce pathétique ?

*Rappelez-vous !*

Dans un récit, un portrait peut être réaliste ou déformé ; il peut être statique (le personnage est décrit en dehors de toute action) ou en action (le personnage se révèle au fil de ses actions). La brièveté de la nouvelle impose à l'auteur d'avoir un seul point de vue sur son personnage, d'insérer rapidement son portrait dans le récit et de préférer un portrait en action.

# De la lecture à l'écriture

## *Des mots pour mieux écrire*

❶ ***Complétez chacune des phrases suivantes avec les mots qui conviennent :*** **hôte, méridional, sordide, diplomatie, lugubre.**

**a.** Plusieurs nouvelles de Maupassant commencent par la présentation qu'un ____________ fait à ses invités ; il raconte une histoire dont il a entendu parler.
**b.** Le château normand l'hiver, la forêt qui l'entourait, les cris des oiseaux la nuit, tout lui semblait ____________ .
**c.** Un climat ____________ fut prescrit par le médecin sous peine de la voir mourir avant la fin de l'hiver.
**d.** Elle usa de ____________ pour faire accepter ses quelques économies au jeune garçon.
**e.** Elle habitait dans une demeure ambulante ____________ si bien que les gens du village la fuyaient.

❷ ***Les verbes ou expressions suivantes décrivent le sentiment amoureux. Classez-les selon leur niveau de langue (familier, courant, soutenu) :*** **déclarer sa flamme, brûler d'amour, être passionné(e), un amour ardent, kiffer, avoir quelqu'un dans la peau, s'éprendre de.**

## *À vous d'écrire*

❶ Pendant l'absence de Varnetot, Rose se rend chaque semaine au château pour essayer de le voir. Imaginez, en une dizaine de lignes, le monologue intérieur de la servante lors d'une de ses visites douloureuses.
***Consigne.*** Votre récit sera rédigé à la première personne du singulier et devra tenir compte de la vie passée de Rose.

❷ Réécrivez un passage de la nouvelle « Première neige » (l. 165-172, p. 64) en adoptant le point de vue du mari.
***Consigne.*** Vous devez imaginer les réactions et les pensées du mari en respectant les informations fournies par le texte.

❸ En vous appuyant sur l'analyse du personnage de la rempailleuse, trouvez une actrice qui pourrait incarner cette femme passionnée pour une adaptation cinématographique de cette nouvelle. Vous écrirez une lettre à un réalisateur pour le convaincre de votre choix.
***Consigne.*** Vous respecterez les codes de la lettre (un destinataire, une date et un lieu, une formule d'appel et une formule finale). Votre lettre devra être structurée et argumentée.

# Du texte à l'image

**➡ Auguste Renoir, *Danse à la campagne*, 1883.**
**(Image reproduite en couverture.)**

## *Lire l'image*

❶ Observez la couverture. Il s'agit d'un détail du tableau d'Auguste Renoir, *Danse à la campagne*. Comment imaginez-vous le décor de ce tableau ?
❷ Décrivez avec précision le visage de ce portrait.
❸ Quels peuvent être les sensations et les sentiments de cette femme ?

## *Comparer le texte et l'image*

❹ À quelle classe sociale appartient cette jeune femme ?
❺ Quel personnage des nouvelles de ce recueil ressemble à cette jeune femme ? Justifiez votre choix.

# À vous de créer

❻ Rédigez en une dizaine de lignes le portrait de l'homme avec qui pourrait danser cette jeune femme.

❼ Sur Internet et au CDI de votre collège, cherchez d'autres tableaux peints par Auguste Renoir. Quels points communs peut-on trouver à ses personnages féminins ?

# Mademoiselle Fifi

Première parution
dans *Gil Blas*
du 23 mars 1882

Le major, commandant prussien, comte de Farlsberg, achevait de lire son courrier, le dos au fond d'un grand fauteuil de tapisserie et ses pieds bottés sur le marbre élégant de la cheminée, où ses éperons, depuis trois mois qu'il occupait le château d'Uville [1], avaient tracé deux trous profonds, fouillés un peu plus tous les jours.

Une tasse de café fumait sur un guéridon de marqueterie maculé [2] par les liqueurs, brûlé par les cigares, entaillé par le canif de l'officier conquérant qui, parfois, s'arrêtant d'aiguiser un crayon, traçait sur le meuble gracieux des chiffres ou des dessins, à la fantaisie de son rêve nonchalant.

Quand il eut achevé ses lettres et parcouru les journaux allemands que son vaguemestre [3] venait de lui apporter, il se leva, et, après avoir jeté au feu trois ou quatre énormes morceaux de bois vert, car ces messieurs abattaient peu à peu le parc pour se chauffer, il s'approcha de la fenêtre.

La pluie tombait à flots, une pluie normande qu'on aurait dit jetée par une main furieuse, une pluie en biais, épaisse comme un rideau, formant une sorte de mur à raies obliques, une pluie cinglante, éclaboussante, noyant tout, une vraie pluie des environs de Rouen, ce pot de chambre de la France.

---

1. Maupassant modifie ici le nom du château d'Urville (Normandie).
2. **Maculé** : taché.
3. **Vaguemestre** : dans l'armée, sous-officier chargé du service postal.

L'officier regarda longtemps les pelouses inondées, et, là-bas, l'Andelle[1] gonflée qui débordait ; et il tambourinait contre la vitre une valse du Rhin, quand un bruit le fit se retourner : c'était
25 son second, le baron de Kelweingstein, ayant le grade équivalent à celui de capitaine.

Le major était un géant, large d'épaules, orné d'une longue barbe en éventail formant nappe sur sa poitrine ; et toute sa grande personne solennelle éveillait l'idée d'un paon militaire,
30 un paon qui aurait porté sa queue déployée à son menton. Il avait des yeux bleus, froids et doux, une joue fendue d'un coup de sabre dans la guerre d'Autriche[2] ; et on le disait brave homme autant que brave officier.

Le capitaine, un petit rougeaud à gros ventre, sanglé[3] de force,
35 portait presque ras son poil ardent[4], dont les fils de feu auraient fait croire, quand ils se trouvaient sous certains reflets, sa figure frottée de phosphore. Deux dents perdues dans une nuit de noce, sans qu'il se rappelât au juste comment, lui faisaient cracher des paroles épaisses qu'on n'entendait pas toujours ; et il était chauve
40 du sommet du crâne seulement, tonsuré comme un moine, avec une toison de petits cheveux frisés, dorés et luisants, autour de ce cerceau de chair nue.

Le commandant lui serra la main, et il avala d'un trait sa tasse de café (la sixième depuis le matin), en écoutant le rapport
45 de son subordonné sur les incidents survenus dans le service ; puis tous deux se rapprochèrent de la fenêtre en déclarant que ce n'était pas gai. Le major, homme tranquille, marié chez lui, s'accommodait de tout ; mais le baron capitaine, viveur tenace, coureur de bouges[5], forcené trousseur de filles[6], rageait d'être

1. **L'Andelle** : rivière normande.
2. **Guerre d'Autriche** : guerre qui opposa l'Autriche à la Prusse, victorieuse en 1866.
3. **Sanglé** : serré avec une sangle, une bande de cuir.
4. **Poil ardent** : ici, cheveux roux.
5. **Bouges** : lieux mal famés.
6. **Trousseur de filles** : coureur de filles.

enfermé depuis trois mois dans la chasteté obligatoire de ce poste perdu.

Comme on grattait à la porte, le commandant cria d'ouvrir, et un homme, un de leurs soldats automates, apparut dans l'ouverture, disant par sa seule présence que le déjeuner était prêt.

Dans la salle ils trouvèrent les trois officiers de moindre grade : un lieutenant, Otto de Grossling ; deux sous-lieutenants, Fritz Scheunaubourg et le marquis Wilhem d'Eyrik, un tout petit blondin fier et brutal avec les hommes, dur aux vaincus, et violent comme une arme à feu.

Depuis son entrée en France, ses camarades ne l'appelaient plus que Mlle Fifi. Ce surnom lui venait de sa tournure coquette, de sa taille fine qu'on aurait dit tenue en un corset, de sa figure pâle où sa naissante moustache apparaissait à peine, et aussi de l'habitude qu'il avait prise, pour exprimer son souverain mépris des êtres et des choses, d'employer à tout moment la locution française – *fi, fi donc*, qu'il prononçait avec un léger sifflement.

La salle à manger du château d'Uville était une longue et royale pièce dont les glaces de cristal ancien, étoilées de balles, et les hautes tapisseries des Flandres, tailladées à coups de sabre et pendantes par endroits, disaient les occupations de Mlle Fifi, en ses heures de désœuvrement.

Sur les murs, trois portraits de famille, un guerrier vêtu de fer, un cardinal et un président, fumaient de longues pipes de porcelaine, tandis qu'en son cadre dédoré par les ans, une noble dame à poitrine serrée montrait d'un air arrogant une énorme paire de moustaches faites au charbon.

Et le déjeuner des officiers s'écoula presque en silence dans cette pièce mutilée, assombrie par l'averse, attristante par son aspect vaincu, et dont le vieux parquet de chêne était devenu sordide comme un sol de cabaret.

À l'heure du tabac, quand ils commencèrent à boire, ayant fini de manger, ils se mirent, de même que chaque jour, à parler de

leur ennui. Les bouteilles de cognac et de liqueurs passaient de main en main ; et tous, renversés sur leurs chaises, absorbaient
85 à petits coups répétés, en gardant au coin de la bouche le long tuyau courbé que terminait l'œuf de faïence, toujours peinturluré comme pour séduire des Hottentots[1].

Dès que leur verre était vide, ils le remplissaient avec un geste de lassitude résignée. Mais Mlle Fifi cassait à tout moment le sien,
90 et un soldat immédiatement lui en présentait un autre.

Un brouillard de fumée âcre les noyait, et ils semblaient s'enfoncer dans une ivresse endormie et triste, dans cette saoulerie morne[2] des gens qui n'ont rien à faire.

Mais le baron, soudain, se redressa. Une révolte le secouait ;
95 il jura : « Nom de Dieu, ça ne peut pas durer, il faut inventer quelque chose à la fin. »

Ensemble le lieutenant Otto et le sous-lieutenant Fritz, deux Allemands doués éminemment de physionomies[3] allemandes lourdes et graves, répondirent : « Quoi, mon capitaine ? »
100 Il réfléchit quelques secondes, puis reprit : « Quoi ? Eh bien, il faut organiser une fête, si le commandant le permet. »

Le major quitta sa pipe : « Quelle fête, capitaine ? »

Le baron s'approcha : « Je me charge de tout, mon commandant. J'enverrai à Rouen *Le Devoir*, qui nous ramènera des dames ; je
105 sais où les prendre. On préparera ici un souper ; rien ne manque d'ailleurs, et, au moins, nous passerons une bonne soirée. »

Le comte de Farlsberg haussa les épaules en souriant. « Vous êtes fou, mon ami. »

Mais tous les officiers s'étaient levés, entouraient leur chef,
110 le suppliaient : « Laissez faire le capitaine, mon commandant, c'est si triste ici. »

À la fin le major céda : « Soit », dit-il ; et aussitôt le baron fit

1. **Hottentots** : peuple nomade vivant en Namibie.
2. **Morne** : triste.
3. **Physionomies** : traits du visage.

appeler *Le Devoir.* C'était un vieux sous-officier qu'on n'avait jamais vu rire, mais qui accomplissait fanatiquement tous les ordres de ses chefs, quels qu'ils fussent.

Debout, avec sa figure impassible, il reçut les instructions du baron ; puis il sortit ; et, cinq minutes plus tard, une grande voiture du train militaire, couverte d'une bâche de meunier tendue en dôme, détalait sous la pluie acharnée, au galop de quatre chevaux.

Aussitôt un frisson de réveil sembla courir dans les esprits ; les poses alanguies[1] se redressèrent, les visages s'animèrent et on se mit à causer.

Bien que l'averse continuât avec autant de furie, le major affirma qu'il faisait moins sombre, et le lieutenant Otto annonçait avec conviction que le ciel allait s'éclaircir. Mlle Fifi elle-même ne semblait pas tenir en place. Elle se levait, se rasseyait. Son œil clair et dur cherchait quelque chose à briser. Soudain, fixant la dame aux moustaches, le jeune blondin tira son revolver.

« Tu ne verras pas cela toi », dit-il ; et, sans quitter son siège, il visa. Deux balles successivement crevèrent les deux yeux du portrait.

Puis il s'écria : « Faisons la mine ! » Et brusquement les conversations s'interrompirent, comme si un intérêt puissant et nouveau se fût emparé de tout le monde.

La mine, c'était son invention, sa manière de détruire, son amusement préféré.

En quittant son château, le propriétaire légitime, le comte Fernand d'Amoys d'Uville, n'avait eu le temps de rien emporter ni de rien cacher, sauf l'argenterie enfouie dans le trou d'un mur. Or, comme il était fort riche et magnifique, son grand salon, dont la porte ouvrait dans la salle à manger, présentait, avant la fuite précipitée du maître, l'aspect d'une galerie de musée.

---

1. **Alanguies** : langoureuses, sans vigueur.

Aux murailles pendaient des toiles, des dessins et des aquarelles de prix, tandis que sur les meubles, les étagères, et dans les vitrines élégantes, mille bibelots, des potiches [1], des statuettes, des bonshommes de Saxe et des magots [2] de Chine, des ivoires anciens et des verres de Venise, peuplaient le vaste appartement de leur foule précieuse et bizarre.

Il n'en restait guère maintenant. Non qu'on les eût pillés, le major comte de Farlsberg ne l'aurait point permis; mais Mlle Fifi, de temps en temps, faisait la *mine*; et tous les officiers, ce jour-là, s'amusaient vraiment pendant cinq minutes.

Le petit marquis alla chercher dans le salon ce qu'il lui fallait. Il rapporta une toute mignonne théière de Chine famille Rose qu'il emplit de poudre à canon, et, par le bec, il introduisit délicatement un long morceau d'amadou [3], l'alluma, et courut reporter cette machine infernale dans l'appartement voisin.

Puis il revint bien vite, en fermant la porte. Tous les Allemands attendaient, debout, avec la figure souriante d'une curiosité enfantine; et, dès que l'explosion eut secoué le château, ils se précipitèrent ensemble.

Mlle Fifi, entrée la première, battait des mains avec délire devant une Vénus de terre cuite dont la tête avait enfin sauté; et chacun ramassa des morceaux de porcelaine, s'étonnant aux dentelures étranges des éclats, examinant les dégâts nouveaux, contestant certains ravages comme produits par l'explosion précédente; et le major considérait d'un air paternel le vaste salon bouleversé par cette mitraille à la Néron [4] et sablé de débris d'objets d'art. Il en sortit le premier, en déclarant avec bonhomie [5]: « Ça a bien réussi, cette fois. »

---

1. **Potiches**: grands vases décoratifs en porcelaine.
2. **Magots**: figurines en porcelaine ou en jade.
3. **Amadou**: substance qui prend feu facilement.
4. **Néron** (37-68): empereur romain célèbre pour son despotisme, sa cruauté et sa folie réelle ou supposée.
5. **Avec bonhomie**: avec simplicité et naturel.

Mais une telle trombe de fumée était entrée dans la salle à manger, se mêlant à celle du tabac, qu'on ne pouvait plus respirer. Le commandant ouvrit la fenêtre, et tous les officiers, revenus
175 pour boire un dernier verre de cognac, s'en approchèrent.

L'air humide s'engouffra dans la pièce, apportant une sorte de poussière d'eau qui poudrait les barbes et une odeur d'inondation. Ils regardaient les grands arbres accablés sous l'averse, la large vallée embrumée par ce dégorgement des nuages sombres
180 et bas, et tout au loin le clocher de l'église dressé comme une pointe grise dans la pluie battante.

Depuis leur arrivée, il n'avait plus sonné. C'était, du reste, la seule résistance que les envahisseurs eussent rencontrée aux environs : celle du clocher. Le curé ne s'était nullement refusé à
185 recevoir et à nourrir des soldats prussiens ; il avait même plusieurs fois accepté de boire une bouteille de bière ou de bordeaux avec le commandant ennemi, qui l'employait souvent comme intermédiaire bienveillant ; mais il ne fallait pas lui demander un seul tintement de sa cloche ; il se serait plutôt laissé fusiller.
190 C'était sa manière à lui de protester contre l'invasion, protestation pacifique, protestation du silence, la seule, disait-il, qui convînt au prêtre, homme de douceur et non de sang ; et tout le monde, à dix lieues à la ronde, vantait la fermeté, l'héroïsme de l'abbé Chantavoine, qui osait affirmer le deuil public, le proclamer, par
195 le mutisme obstiné de son église.

Le village entier, enthousiasmé par cette résistance, était prêt à soutenir jusqu'au bout son pasteur, à tout braver, considérant cette protestation tacite comme la sauvegarde de l'honneur national. Il semblait aux paysans qu'ils avaient ainsi mieux mérité de la patrie
200 que Belfort et que Strasbourg, qu'ils avaient donné un exemple équivalent, que le nom du hameau en deviendrait immortel ; et, hormis cela, ils ne refusaient rien aux Prussiens vainqueurs.

Le commandant et ses officiers riaient ensemble de ce courage inoffensif ; et comme le pays entier se montrait obligeant et souple
205 à leur égard, ils toléraient volontiers son patriotisme muet.

Seul, le petit marquis Wilhem aurait bien voulu forcer la cloche à sonner. Il enrageait de la condescendance[1] politique de son supérieur pour le prêtre : et chaque jour il suppliait le commandant de le laisser faire « Ding-don-don », une fois, une seule petite
210 fois pour rire un peu seulement. Et il demandait cela avec des grâces de chatte, des cajoleries de femme, des douceurs de voix d'une maîtresse affolée par une envie ; mais le commandant ne cédait point, et Mlle Fifi, pour se consoler, faisait la *mine* dans le château d'Uville.

215 Les cinq hommes restèrent là, en tas, quelques minutes, aspirant l'humidité. Le lieutenant Fritz, enfin, prononça en jetant un rire pâteux[2] : « Ces temoiselles técitément n'auront pas peau temps pour leur bromenate. »

Là-dessus, on se sépara, chacun allant à son service, et le capi-
220 taine ayant fort à faire pour les préparatifs du dîner.

Quand ils se retrouvèrent de nouveau à la nuit tombante, ils se mirent à rire en se voyant tous coquets et reluisants comme aux jours de grande revue, pommadés, parfumés, tout frais. Les cheveux du commandant semblaient moins gris que le matin ;
225 et le capitaine s'était rasé, ne gardant que sa moustache, qui lui mettait une flamme sous le nez.

Malgré la pluie, on laissait la fenêtre ouverte ; et l'un d'eux parfois allait écouter. À six heures dix minutes le baron signala un lointain roulement. Tous se précipitèrent ; et bientôt la grande
230 voiture accourut, avec ses quatre chevaux toujours au galop, crottés jusqu'au dos, fumants et soufflants.

Et cinq femmes descendirent sur le perron, cinq belles filles choisies avec soin par un camarade du capitaine à qui *Le Devoir* était allé porter une carte de son officier.

---

1. **Condescendance** : attitude hautaine d'une personne qui accorde une faveur tout en faisant sentir qu'elle pourrait la refuser.
2. **Pâteux** : ici, confus, manquant de netteté.

235 Elles ne s'étaient point fait prier, sûres d'être bien payées, connaissant d'ailleurs les Prussiens, depuis trois mois qu'elles en tâtaient, et prenant leur parti des hommes comme des choses. « C'est le métier qui veut ça », se disaient-elles en route, pour répondre sans doute à quelque picotement secret d'un reste 240 de conscience.

Et tout de suite on entra dans la salle à manger. Illuminée, elle semblait plus lugubre encore en son délabrement piteux[1] ; et la table couverte de viandes, de vaisselle riche et d'argenterie retrouvée dans le mur où l'avait cachée le propriétaire, donnait 245 à ce lieu l'aspect d'une taverne de bandits qui soupent après un pillage. Le capitaine, radieux, s'empara des femmes comme d'une chose familière, les appréciant, les embrassant, les flairant, les évaluant à leur valeur de filles à plaisir ; et comme les trois jeunes gens voulaient en prendre chacun une, il s'y opposa avec 250 autorité, se réservant de faire le partage, en toute justice, suivant les grades, pour ne blesser en rien la hiérarchie.

Alors, afin d'éviter toute discussion, toute contestation et tout soupçon de partialité, il les aligna par rang de taille, et s'adressant à la plus grande, avec le ton du commandement : « Ton nom ? »

255 Elle répondit en grossissant sa voix : « Paméla. »

Alors il proclama : « Numéro un, la nommée Paméla, adjugée au commandant. »

Ayant ensuite embrassé Blondine, la seconde, en signe de propriété, il offrit au lieutenant Otto la grosse Amanda, Éva *la Tomate* 260 au sous-lieutenant Fritz, et la plus petite de toutes, Rachel, une brune toute jeune, à l'œil noir comme une tache d'encre, une juive dont le nez retroussé confirmait la règle qui donne des becs courbes à toute sa race, au plus jeune des officiers, au frêle marquis Wilhem d'Eyrik.

265 Toutes, d'ailleurs, étaient jolies et grasses, sans physionomies bien distinctes, faites à peu près pareilles de tournure et de peau

1. **Piteux** : propre à susciter une pitié mêlée de mépris.

par les pratiques d'amour quotidiennes et la vie commune des maisons publiques.

Les trois jeunes gens prétendaient tout de suite entraîner 270 leurs femmes, sous prétexte de leur offrir des brosses et du savon pour se nettoyer; mais le capitaine s'y opposa sagement, affirmant qu'elles étaient assez propres pour se mettre à table et que ceux qui monteraient voudraient changer en descendant et troubleraient les autres couples. Son expérience l'emporta. Il y 275 eut seulement beaucoup de baisers, des baisers d'attente.

Soudain, Rachel suffoqua, toussant aux larmes, et rendant de la fumée par les narines. Le marquis, sous prétexte de l'embrasser, venait de lui souffler un jet de tabac dans la bouche. Elle ne se fâcha point, ne dit pas un mot, mais elle regarda fixement son pos- 280 sesseur avec une colère éveillée tout au fond de son œil noir.

On s'assit. Le commandant lui-même semblait enchanté; il prit à sa droite Paméla, Blondine à sa gauche et déclara, en dépliant sa serviette: « Vous avez eu là une charmante idée, capitaine. »

Les lieutenants Otto et Fritz, polis comme auprès de femmes 285 du monde, intimidaient un peu leurs voisines; mais le baron de Kelweingstein, lâché dans son vice, rayonnait, lançait des mots grivois [1], semblait en feu avec sa couronne de cheveux rouges. Il galantisait en français du Rhin; et ses compliments de taverne, expectorés [2] par le trou des deux dents brisées, arrivaient aux 290 filles au milieu d'une mitraille de salive.

Elles ne comprenaient rien, du reste; et leur intelligence ne sembla s'éveiller que lorsqu'il cracha des paroles obscènes, des expressions crues, estropiées par son accent. Alors toutes, ensemble, elles commencèrent à rire comme des folles, tombant sur le 295 ventre de leurs voisins, répétant les termes que le baron se mit alors à défigurer à plaisir pour leur faire dire des ordures. Elles en vomissaient à volonté, soûles aux premières bouteilles de vin;

1. **Grivois**: osés, mais sans obscénité.
2. **Expectorés**: sortis, prononcés.

et, redevenant elles, ouvrant la porte aux habitudes, elles embrassaient les moustaches de droite et celles de gauche, pinçaient les
300 bras, poussaient des cris furieux, buvaient dans tous les verres, chantaient des couplets français et des bouts de chansons allemandes appris dans leurs rapports quotidiens avec l'ennemi.

Bientôt les hommes eux-mêmes, grisés par cette chair de femme étalée sous leur nez et sous leurs mains, s'affolèrent, hurlant,
305 brisant la vaisselle, tandis que, derrière leur dos, des soldats impassibles les servaient.

Le commandant seul gardait de la retenue.

Mlle Fifi avait pris Rachel sur ses genoux, et, s'animant à froid, tantôt il embrassait follement les frisons[1] d'ébène de son cou,
310 humant par le mince intervalle entre la robe et la peau la douce chaleur de son corps et tout le fumet de sa personne ; tantôt à travers l'étoffe, il la pinçait avec fureur, la faisant crier, saisi d'une férocité rageuse, travaillé par son besoin de ravage. Souvent aussi, la tenant à pleins bras, l'étreignant comme pour la mêler
315 à lui, il appuyait longuement ses lèvres sur la bouche fraîche de la juive, la baisait à perdre haleine ; mais soudain il la mordit si profondément qu'une traînée de sang descendit sur le menton de la jeune femme et coula dans son corsage.

Encore une fois, elle le regarda bien en face, et, lavant la plaie,
320 murmura : « Ça se paye, cela. » Il se mit à rire, d'un rire dur. « Je payerai », dit-il.

On arrivait au dessert ; on versait du champagne. Le commandant se leva, et du même ton qu'il aurait pris pour porter la santé de l'impératrice Augusta[2], il but :
325 « À nos dames ! » Et une série de toasts[3] commença, des toasts d'une galanterie de soudards[4] et de pochards[5], mêlés de

1. **Frisons** : petites mèches de cheveux frisés.
2. **Augusta** (1811-1890) : impératrice, épouse de Frédéric-Guillaume, roi de Prusse.
3. **Toasts** : paroles invitant à boire à la santé de quelqu'un.
4. **Soudards** : soldats grossiers et brutaux.
5. **Pochards** : ivrognes (familier).

plaisanteries obscènes, rendues plus brutales encore par l'ignorance de la langue.

Ils se levaient l'un après l'autre, cherchant de l'esprit, s'efforçant
330 d'être drôles; et les femmes, ivres à tomber, les yeux vagues, les lèvres pâteuses, applaudissaient chaque fois éperdument.

Le capitaine, voulant sans doute rendre à l'orgie un air galant, leva encore une fois son verre, et prononça: « À nos victoires sur les cœurs! »

335 Alors le lieutenant Otto, espèce d'ours de la forêt Noire, se dressa, enflammé, saturé de boissons. Et envahi brusquement de patriotisme alcoolique, il cria: « À nos victoires sur la France! »

Toutes grises qu'elles étaient, les femmes se turent; et Rachel, frissonnante, se retourna: « Tu sais, j'en connais des Français,
340 devant qui tu ne dirais pas ça. »

Mais le petit marquis, la tenant toujours sur ses genoux, se mit à rire, rendu très gai par le vin: « Ah! ah! ah! je n'en ai jamais vu, moi. Sitôt que nous paraissons, ils foutent le camp! »

La fille, exaspérée, lui cria dans la figure: « Tu mens, salop! »

345 Durant une seconde, il fixa sur elle ses yeux clairs, comme il les fixait sur les tableaux dont il crevait la toile à coups de revolver, puis il se mit à rire: « Ah! oui, parlons-en, la belle! serions-nous ici, s'ils étaient braves! » Et il s'animait: « Nous sommes leurs maîtres! à nous la France! »

350 Elle quitta ses genoux d'une secousse et retomba sur sa chaise. Il se leva, tendit son verre jusqu'au milieu de la table et répéta: « À nous la France et les Français, les bois, les champs et les maisons de France! »

Les autres, tout à fait soûls, secoués soudain par un enthou-
355 siasme militaire, un enthousiasme de brutes, saisirent leurs verres en vociférant: « Vive la Prusse! » et les vidèrent d'un seul trait.

Les filles ne protestaient point, réduites au silence et prises de peur. Rachel elle-même se taisait, impuissante à répondre.

360 Alors, le petit marquis posa sur la tête de la juive sa coupe de

champagne emplie à nouveau : « À nous aussi, cria-t-il, toutes les femmes de France ! »

Elle se leva si vite, que le cristal, culbuté, vida, comme pour un baptême, le vin jaune dans ses cheveux noirs, et il tomba, se brisant à terre. Les lèvres tremblantes, elle bravait du regard l'officier qui riait toujours, et elle balbutia, d'une voix étranglée de colère : « Ça, ça, ça n'est pas vrai, par exemple, vous n'aurez pas les femmes de France. »

Il s'assit pour rire à son aise, et, cherchant l'accent parisien : « Elle est pien ponne, pien ponne, qu'est-ce alors que tu viens faire ici, pétite ? »

Interdite, elle se tut d'abord, comprenant mal dans son trouble, puis, dès qu'elle eut bien saisi ce qu'il disait, elle lui jeta, indignée et véhémente[1] : « Moi ! moi ! Je ne suis pas une femme, moi, je suis une putain ; c'est bien tout ce qu'il faut à des Prussiens. »

Elle n'avait point fini qu'il la giflait à toute volée ; mais comme il levait encore une fois la main, affolée de rage, elle saisit sur la table un petit couteau de dessert à lame d'argent, et si brusquement, qu'on ne vit rien d'abord, elle le lui piqua droit dans le cou, juste au creux où la poitrine commence.

Un mot qu'il prononçait fut coupé dans sa gorge ; et il resta béant[2], avec un regard effroyable.

Tous poussèrent un rugissement, et se levèrent en tumulte ; mais ayant jeté sa chaise dans les jambes du lieutenant Otto, qui s'écroula tout au long, elle courut à la fenêtre, l'ouvrit avant qu'on eût pu l'atteindre, et s'élança dans la nuit, sous la pluie qui tombait toujours.

En deux minutes, Mlle Fifi fut morte. Alors Fritz et Otto dégainèrent et voulurent massacrer les femmes, qui se traînaient à leurs genoux. Le major, non sans peine, empêcha cette boucherie, fit enfermer dans une chambre, sous la garde de deux hommes,

1. **Véhémente** : fougueuse, impétueuse.
2. **Il resta béant** : il resta bouche bée.

les quatre filles éperdues; puis comme s'il eût disposé ses soldats pour un combat, il organisa la poursuite de la fugitive, bien certain de la reprendre.

395 Cinquante hommes, fouettés de menaces, furent lancés dans le parc. Deux cents autres fouillèrent les bois et toutes les maisons de la vallée.

La table, desservie en un instant, servait maintenant de lit mortuaire, et les quatre officiers, rigides, dégrisés [1], avec la face 400 dure des hommes de guerre en fonctions, restaient debout près des fenêtres, sondaient la nuit.

L'averse torrentielle continuait. Un clapotis continu emplissait les ténèbres, un flottant murmure d'eau qui tombe et d'eau qui coule, d'eau qui dégoutte et d'eau qui rejaillit.

405 Soudain, un coup de feu retentit, puis un autre très loin; et, pendant quatre heures, on entendit ainsi de temps en temps des détonations proches ou lointaines et des cris de ralliement, des mots étranges lancés comme un appel par des voix gutturales [2].

Au matin, tout le monde rentra. Deux soldats avaient été tués, 410 et trois autres blessés par leurs camarades dans l'ardeur de la chasse et l'effarement de cette poursuite nocturne.

On n'avait pas retrouvé Rachel.

Alors les habitants furent terrorisés, les demeures bouleversées, toute la contrée parcourue, battue, retournée. La juive ne 415 semblait pas avoir laissé une seule trace de son passage.

Le général, prévenu, ordonna d'étouffer l'affaire, pour ne point donner de mauvais exemples dans l'armée, et il frappa d'une peine disciplinaire le commandant, qui punit ses inférieurs. Le général avait dit: « On ne fait pas la guerre pour s'amuser et 420 caresser des filles publiques. » Et le comte de Farlsberg, exaspéré, résolut de se venger sur le pays.

1. **Dégrisés**: sortis de l'ivresse.
2. **Gutturales**: rauques.

Comme il lui fallait un prétexte afin de sévir sans contrainte, il fit venir le curé et lui ordonna de sonner la cloche à l'enterrement du marquis d'Eyrik.

425 Contre toute attente, le prêtre se montra docile, humble, plein d'égards. Et quand le corps de Mlle Fifi, porté par des soldats, précédé, entouré, suivi de soldats qui marchaient le fusil chargé, quitta le château d'Uville, allant au cimetière, pour la première fois la cloche tinta son glas [1] funèbre avec une allure allègre, 430 comme si une main amie l'eût caressée.

Elle sonna le soir encore, et le lendemain aussi, et tous les jours; elle carillonna tant qu'on voulut. Parfois même, la nuit, elle se mettait toute seule en branle, et jetait doucement deux ou trois sons dans l'ombre, prise de gaietés singulières, réveillée on 435 ne sait pourquoi. Tous les paysans du lieu la dirent alors ensorcelée; et personne, sauf le curé et le sacristain [2], n'approchait plus du clocher.

C'est qu'une pauvre fille vivait là-haut, dans l'angoisse et la solitude, nourrie en cachette par ces deux hommes.

440 Elle y resta jusqu'au départ des troupes allemandes. Puis, un soir, le curé ayant emprunté le char à bancs du boulanger, conduisit lui-même sa prisonnière jusqu'à la porte de Rouen. Arrivé là, le prêtre l'embrassa; elle descendit et regagna vivement à pied le logis public, dont la patronne la croyait morte.

445 Elle en fut tirée quelque temps après par un patriote sans préjugés qui l'aima pour sa belle action, puis l'ayant ensuite chérie pour elle-même, l'épousa, en fit une Dame qui valut autant que beaucoup d'autres.

---

1. **Glas**: son de cloche annonçant la mort ou l'enterrement de quelqu'un.
2. **Sacristain**: personne chargée de l'entretien d'une église et des objets du culte.

# Le père Milon

Première parution
dans *Le Gaulois*
du 22 mai 1883

Depuis un mois, le large soleil jette aux champs sa flamme cuisante. La vie radieuse éclôt sous cette averse de feu ; la terre est verte à perte de vue. Jusqu'aux bords de l'horizon, le ciel est bleu. Les fermes normandes semées par la plaine semblent, de loin, de petits bois, enfermées dans leur ceinture de hêtres élancés. De près, quand on ouvre la barrière vermoulue, on croit voir un jardin géant, car tous les antiques pommiers, osseux comme les paysans, sont en fleur. Les vieux troncs noirs, crochus, tortus[1], alignés par la cour, étalent sous le ciel leurs dômes éclatants, blancs et roses. Le doux parfum de leur épanouissement se mêle aux grasses senteurs des étables ouvertes et aux vapeurs du fumier qui fermente, couvert de poules.

Il est midi. La famille dîne à l'ombre du poirier planté devant la porte : le père, la mère, les quatre enfants, les deux servantes et les trois valets. On ne parle guère. On mange la soupe, puis on découvre le plat de fricot[2] plein de pommes de terre au lard.

De temps en temps, une servante se lève et va remplir au cellier[3] la cruche au cidre.

L'homme, un grand gars de quarante ans, contemple, contre sa maison, une vigne restée nue, et courant, tordue comme un serpent, sous les volets, tout le long du mur.

1. **Tortus** : tordus.
2. **Fricot** : viande en ragoût.
3. **Cellier** : pièce fraîche d'une maison dans laquelle on entrepose vin et provisions.

Il dit enfin : « La vigne au père bourgeonne de bonne heure c't'année. P't-être qu'a donnera. »

La femme aussi se retourne et regarde, sans dire un mot.

25 Cette vigne est plantée juste à la place où le père a été fusillé.

C'était pendant la guerre de 1870. Les Prussiens occupaient tout le pays. Le général Faidherbe [1], avec l'armée du Nord, leur tenait tête.

30 Or l'état-major prussien s'était posté dans cette ferme. Le vieux paysan qui la possédait, le père Milon, Pierre, les avait reçus et installés de son mieux.

Depuis un mois l'avant-garde allemande restait en observation dans le village. Les Français demeuraient immobiles, à dix lieues 35 de là ; et cependant, chaque nuit, des uhlans [2] disparaissaient.

Tous les éclaireurs isolés, ceux qu'on envoyait faire des rondes, alors qu'ils partaient à deux ou trois seulement, ne rentraient jamais.

On les ramassait morts, au matin, dans un champ, au bord 40 d'une cour, dans un fossé. Leurs chevaux eux-mêmes gisaient le long des routes, égorgés d'un coup de sabre.

Ces meurtres semblaient accomplis par les mêmes hommes, qu'on ne pouvait découvrir.

Le pays fut terrorisé. On fusilla des paysans sur une simple 45 dénonciation, on emprisonna des femmes ; on voulut obtenir, par la peur, des révélations des enfants. On ne découvrit rien.

Mais voilà qu'un matin, on aperçut le père Milon étendu dans son écurie, la figure coupée d'une balafre.

---

1. **Louis Faidherbe** (1818-1889) : général français auquel fut confié, après le désastre de Sedan, le commandement de l'armée du Nord ; la résistance que cette armée opposa aux Prussiens en 1870 épargna l'occupation allemande aux départements du Nord et du Pas-de-Calais.
2. **Uhlans** : cavaliers des armées de Prusse, d'Autriche et d'Allemagne.

Deux uhlans éventrés furent retrouvés à trois kilomètres de la
50 ferme. Un d'eux tenait encore à la main son arme ensanglantée.
Il s'était battu, défendu.

Un conseil de guerre ayant été aussitôt constitué, en plein air, devant la ferme, le vieux fut amené.

Il avait soixante-huit ans. Il était petit, maigre, un peu tors[1], avec
55 de grandes mains pareilles à des pinces de crabe. Ses cheveux ternes, rares et légers comme un duvet de jeune canard, laissaient voir partout la chair du crâne. La peau brune et plissée du cou montrait de grosses veines qui s'enfonçaient sous les mâchoires et reparaissaient aux tempes. Il passait dans la contrée pour avare
60 et difficile en affaires.

On le plaça debout, entre quatre soldats, devant la table de cuisine tirée dehors. Cinq officiers et le colonel s'assirent en face de lui.

Le colonel prit la parole en français.

65 « Père Milon, depuis que nous sommes ici, nous n'avons eu qu'à nous louer de vous. Vous avez toujours été complaisant et même attentionné pour nous. Mais aujourd'hui une accusation terrible pèse sur vous, et il faut que la lumière se fasse. Comment avez-vous reçu la blessure que vous portez sur la figure ? »

70 Le paysan ne répondit rien.

Le colonel reprit :

« Votre silence vous condamne, père Milon. Mais je veux que vous me répondiez, entendez-vous ? Savez-vous qui a tué les deux uhlans qu'on a trouvés ce matin près du Calvaire ? »

75 Le vieux articula nettement :

« C'est mé. »

Le colonel, surpris, se tut une seconde, regardant fixement le prisonnier. Le père Milon demeurait impassible, avec son air abruti de paysan, les yeux baissés comme s'il eût parlé à son curé.
80 Une seule chose pouvait révéler un trouble intérieur, c'est qu'il

---

1. **Tors** : courbé.

avalait coup sur coup sa salive, avec un effort visible, comme si sa gorge eût été tout à fait étranglée.

La famille du bonhomme, son fils Jean, sa bru[1] et deux petits enfants se tenaient à dix pas en arrière, effarés et consternés.

85 Le colonel reprit:

«Savez-vous aussi qui a tué tous les éclaireurs de notre armée qu'on retrouve chaque matin, par la campagne, depuis un mois?»

Le vieux répondit avec la même impassibilité de brute:

«C'est mé.

90 – C'est vous qui les avez tués tous?

– Tretous, oui, c'est mé.

– Vous seul?

– Mé seul.

– Dites-moi comment vous vous y preniez.»

95 Cette fois l'homme parut ému; la nécessité de parler longtemps le gênait visiblement. Il balbutia:

«Je sais-ti, mé? J'ai fait ça comme ça s'trouvait.»

Le colonel reprit:

«Je vous préviens qu'il faudra que vous me disiez tout. Vous 100 ferez donc bien de vous décider immédiatement. Comment avez-vous commencé?»

L'homme jeta un regard inquiet sur sa famille attentive derrière lui. Il hésita un instant encore, puis, tout à coup, se décida.

«Je r'venais un soir, qu'il était p't-être dix heures, le lend'main 105 que vous étiez ici. Vous, et pi vos soldats, vous m'aviez pris pour pus de chinquante écus de fourrage avec une vaque et deux moutons. Je me dis: Tant qu'i me prendront de fois vingt écus, tant que je leur y revaudrai ça. Et pi j'avais d'autres choses itou su l'cœur, que j'vous dirai. V'là qu'j'en aperçois un d'vos cavaliers qui fumait sa 110 pipe su mon fossé, derrière ma grange. J'allai décrocher ma faux et je r'vins à p'tits pas par-derrière, qu'il n'entendit seulement rien. Et j'li coupai la tête d'un coup, d'un seul, comme un épi,

1. **Bru**: belle-fille.

qu'il n'a pas seulement dit ouf! Vous n'auriez qu'à chercher au fond d'la mare: vous le trouveriez dans un sac à charbon, avec
115 une pierre de la barrière.

J'avais mon idée. J'pris tous ses effets d'puis les bottes jusqu'au bonnet et je les cachai dans le four à plâtre du bois Martin, derrière la cour. »

Le vieux se tut. Les officiers, interdits[1], se regardaient. L'inter-
120 rogatoire recommença; et voici ce qu'ils apprirent:

Une fois son meurtre accompli, l'homme avait vécu avec cette pensée: « Tuer des Prussiens! » Il les haïssait d'une haine sournoise[2] et acharnée de paysan cupide[3] et patriote aussi. Il avait son idée, comme il disait. Il attendit quelques jours.

125 On le laissait libre d'aller et de venir, d'entrer et de sortir à sa guise, tant il s'était montré humble envers les vainqueurs, soumis et complaisant. Or il voyait, chaque soir, partir les estafettes[4]; et il sortit, une nuit, ayant entendu le nom du village où se rendaient les cavaliers, et ayant appris, dans la fréquentation des soldats,
130 les quelques mots d'allemand qu'il lui fallait.

Il sortit de sa cour, se glissa dans le bois, gagna le four à plâtre, pénétra au fond de la longue galerie et, ayant retrouvé par terre les vêtements du mort, il s'en vêtit.

Alors il se mit à rôder par les champs, rampant, suivant les talus
135 pour se cacher, écoutant les moindres bruits, inquiet comme un braconnier.

Lorsqu'il crut l'heure arrivée, il se rapprocha de la route et se cacha dans une broussaille. Il attendit encore. Enfin, vers minuit, un galop de cheval sonna sur la terre dure du chemin.
140 L'homme mit l'oreille à terre pour s'assurer qu'un seul cavalier s'approchait, puis il s'apprêta.

---

1. **Interdits**: déconcertés, ne sachant que répondre.
2. **Sournoise**: dissimulée.
3. **Cupide**: avide d'argent.
4. **Estafettes**: militaires chargés de transmettre des dépêches.

Le uhlan arrivait au grand trot, rapportant des dépêches. Il allait, l'œil en éveil, l'oreille tendue. Dès qu'il ne fut plus qu'à dix pas, le père Milon se traîna en travers de la route en gémis-
145 sant : « *Hilfe ! Hilfe !* À l'aide, à l'aide ! » Le cavalier s'arrêta, reconnut un Allemand démonté, le crut blessé, descendit de cheval, s'approcha sans soupçonner rien, et, comme il se penchait sur l'inconnu, il reçut au milieu du ventre la longue lame courbée du sabre. Il s'abattit, sans agonie, secoué seulement par quelques
150 frissons suprêmes.

Alors le Normand, radieux d'une joie muette de vieux paysan, se releva, et, pour son plaisir, coupa la gorge du cadavre. Puis, il le traîna jusqu'au fossé et l'y jeta.

Le cheval, tranquille, attendait son maître. Le père Milon se
155 mit en selle, et il partit au galop à travers les plaines.

Au bout d'une heure, il aperçut encore deux uhlans côte à côte qui rentraient au quartier. Il alla droit sur eux, criant encore : « *Hilfe ! Hilfe !* » Les Prussiens le laissaient venir, reconnaissant l'uniforme, sans méfiance aucune. Et il passa, le vieux, comme
160 un boulet entre les deux, les abattant l'un et l'autre avec son sabre et un revolver.

Puis il égorgea les chevaux, des chevaux allemands ! Puis il rentra doucement au four à plâtre et cacha un cheval au fond de la sombre galerie. Il y quitta son uniforme, reprit ses hardes[1]
165 de gueux et, regagnant son lit, dormit jusqu'au matin.

Pendant quatre jours, il ne sortit pas, attendant la fin de l'enquête ouverte ; mais, le cinquième jour, il repartit, et tua encore deux soldats par le même stratagème. Dès lors, il ne s'arrêta plus. Chaque nuit, il errait, il rôdait à l'aventure, abattant des
170 Prussiens tantôt ici, tantôt là, galopant par les champs déserts, sous la lune, uhlan perdu, chasseur d'hommes. Puis, sa tâche finie, laissant derrière lui des cadavres couchés le long des routes,

1. **Hardes** : vêtements misérables.

le vieux cavalier rentrait cacher au fond du four à plâtre son cheval et son uniforme.

175 Il allait vers midi, d'un air tranquille, porter de l'avoine et de l'eau à sa monture restée au fond du souterrain, et il la nourrissait à profusion, exigeant d'elle un grand travail.

Mais, la veille, un de ceux qu'il avait attaqués se tenait sur ses gardes et avait coupé d'un coup de sabre la figure du vieux
180 paysan.

Il les avait tués cependant tous les deux ! Il était revenu encore, avait caché le cheval et repris ses humbles habits ; mais, en rentrant, une faiblesse l'avait saisi et il s'était traîné jusqu'à l'écurie, ne pouvant plus gagner la maison.

185 On l'avait trouvé là tout sanglant, sur la paille...

Quand il eut fini son récit, il releva soudain la tête et regarda fièrement les officiers prussiens.

Le colonel, qui tirait sa moustache, lui demanda :

« Vous n'avez plus rien à dire ?

190 – Non, pus rien ; l'compte est juste : j'en ai tué seize, pas un de pus, pas un de moins.

– Vous savez que vous allez mourir ?

– J'vous ai pas d'mandé de grâce[1].

– Avez-vous été soldat ?

195 – Oui. J'ai fait campagne, dans le temps. Et puis, c'est vous qu'avez tué mon père, qu'était soldat de l'Empereur premier. Sans compter que vous avez tué mon fils cadet, François, le mois dernier, auprès d'Évreux. Je vous en devais, j'ai payé. Je sommes quittes. »

200 Les officiers se regardaient.

Le vieux reprit :

« Huit pour mon père, huit pour mon fieu[2], je sommes quittes.

---

1. **Grâce** : mesure de clémence accordée à un condamné.
2. **Fieu** : fils (patois).

J'ai pas été vous chercher querelle, mé ! J'vous connais point ! J'sais pas seulement d'où qu'vous v'nez. Vous v'là chez mé, que vous y commandez comme si c'était chez vous. Je m'suis vengé su l's autres. J'm'en r'pens point. »

Et, redressant son torse ankylosé[1], le vieux croisa ses bras dans une pose d'humble héros.

Les Prussiens se parlèrent bas longtemps. Un capitaine, qui avait aussi perdu son fils, le mois dernier, défendait ce gueux magnanime[2].

Alors le colonel se leva et, s'approchant du père Milon, baissant la voix :

« Écoutez, le vieux, il y a peut-être un moyen de vous sauver la vie, c'est de… »

Mais le bonhomme n'écoutait point, et, les yeux plantés droit sur l'officier vainqueur, tandis que le vent agitait les poils follets[3] de son crâne, il fit une grimace affreuse qui crispa sa maigre face toute coupée par la balafre, et, gonflant sa poitrine, il cracha, de toute sa force, en pleine figure du Prussien.

Le colonel, affolé, leva la main, et l'homme, pour la seconde fois, lui cracha par la figure.

Tous les officiers s'étaient dressés et hurlaient des ordres en même temps.

En moins d'une minute, le bonhomme, toujours impassible, fut collé contre le mur et fusillé, alors qu'il envoyait des sourires à Jean, son fils aîné ; à sa bru et aux deux petits, qui regardaient, éperdus[4].

---

1. **Ankylosé** : engourdi.
2. **Magnanime** : noble et généreux.
3. **Poils follets** : ici, petits cheveux.
4. **Éperdus** : égarés, sous l'effet d'une vive émotion.

# La folle

Première parution
dans *Le Gaulois*
du 5 décembre 1882

*À Robert de Bonnières*[1].

Tenez, dit M. Mathieu d'Endolin, les bécasses[2] me rappellent une bien sinistre anecdote de la guerre.

Vous connaissez ma propriété dans le faubourg de Cormeil[3]. Je l'habitais au moment de l'arrivée des Prussiens.

5 J'avais alors pour voisine une espèce de folle, dont l'esprit s'était égaré sous les coups du malheur. Jadis, à l'âge de vingt-cinq ans, elle avait perdu, en un seul mois, son père, son mari et son enfant nouveau-né.

Quand la mort est entrée une fois dans une maison, elle y 10 revient presque toujours immédiatement, comme si elle connaissait la porte.

La pauvre jeune femme, foudroyée par le chagrin, prit le lit, délira pendant six semaines. Puis, une sorte de lassitude calme succédant à cette crise violente, elle resta sans mouvement, man-15 geant à peine, remuant seulement les yeux. Chaque fois qu'on voulait la faire lever, elle criait comme si on l'eût tuée. On la laissa donc toujours couchée, ne la tirant de ses draps que pour les soins de sa toilette et pour retourner ses matelas.

Une vieille bonne restait près d'elle, la faisant boire de temps 20 en temps ou mâcher un peu de viande froide. Que se passait-il

---

1. **Robert de Bonnières** (1850-1905): romancier, poète et journaliste français.
2. **Bécasses**: oiseaux.
3. **Cormeil**: vraisemblablement pour Cormeilles, commune française située dans l'Eure, en Haute-Normandie.

dans cette âme désespérée ? On ne le sut jamais ; car elle ne parla plus. Songeait-elle aux morts ? Rêvassait-elle tristement, sans souvenir précis ? Ou bien sa pensée anéantie [1] restait-elle immobile comme de l'eau sans courant ?

25 Pendant quinze années, elle demeura ainsi fermée et inerte [2].

La guerre vint ; et, dans les premiers jours de décembre, les Prussiens pénétrèrent à Cormeil.

Je me rappelle cela comme d'hier. Il gelait à fendre les pierres ; et j'étais étendu moi-même dans un fauteuil, immobilisé par la 30 goutte [3], quand j'entendis le battement lourd et rythmé de leurs pas. De ma fenêtre, je les vis passer.

Ils défilaient interminablement, tous pareils, avec ce mouvement de pantins qui leur est particulier. Puis les chefs distribuèrent leurs hommes aux habitants. J'en eus dix-sept. La voisine, 35 la folle, en avait douze, dont un commandant, vrai soudard [4], violent, bourru [5].

Pendant les premiers jours tout se passa normalement. On avait dit à l'officier d'à côté que la dame était malade ; et il ne s'en inquiéta guère. Mais bientôt cette femme qu'on ne voyait 40 jamais l'irrita. Il s'informa de la maladie ; on répondit que son hôtesse était couchée depuis quinze ans par suite d'un violent chagrin. Il n'en crut rien sans doute, et s'imagina que la pauvre insensée ne quittait pas son lit par fierté, pour ne pas voir les Prussiens, et ne leur point parler, et ne les point frôler.

45 Il exigea qu'elle le reçût ; on le fit entrer dans sa chambre. Il demanda d'un ton brusque :

« Je vous prierai, matame, de fous lever et de tescentre pour qu'on fous foie. »

---

1. **Anéantie** : réduite à néant.
2. **Inerte** : immobile.
3. **Goutte** : maladie inflammatoire touchant le plus souvent le pied.
4. **Soudard** : soldat grossier et brutal.
5. **Bourru** : brusque.

Elle tourna vers lui ses yeux vagues, ses yeux vides, et ne répon-
50 dit pas.

Il reprit :

« Che ne tolérerai bas d'insolence. Si fous ne fous levez bas de ponne volonté, che trouverai pien un moyen de fous faire bromener tout seule. »

55 Elle ne fit pas un geste, toujours immobile comme si elle ne l'eût pas vu.

Il rageait, prenant ce silence calme pour une marque de mépris suprême. Et il ajouta :

« Si vous n'êtes pas tescentue temain… »

60 Puis, il sortit.

Le lendemain, la vieille bonne, éperdue, la voulut habiller ; mais la folle se mit à hurler en se débattant. L'officier monta bien vite ; et la servante, se jetant à ses genoux, cria :

« Elle ne veut pas, monsieur, elle ne veut pas. Pardonnez-lui ;
65 elle est si malheureuse. »

Le soldat restait embarrassé n'osant, malgré sa colère, la faire tirer du lit par ses hommes. Mais soudain il se mit à rire et donna des ordres en allemand.

Et bientôt on vit sortir un détachement[1] qui soutenait un mate-
70 las comme on porte un blessé. Dans ce lit qu'on n'avait point défait, la folle, toujours silencieuse, restait tranquille, indifférente aux événements tant qu'on la laissait couchée. Un homme par-derrière portait un paquet de vêtements féminins.

Et l'officier prononça en se frottant les mains :

75 « Nous ferrons pien si vous ne poufez bas vous hapiller toute seule et faire une bétite bromenate. »

Puis on vit s'éloigner le cortège dans la direction de la forêt d'Imauville[2].

---

1. **Détachement** : dans l'armée, élément d'une troupe chargé d'une mission particulière.
2. **Imauville** : vraisemblablement pour Grainville-Ymauville, commune française située dans la Seine-Maritime, en Haute-Normandie.

Deux heures plus tard les soldats revinrent tout seuls.
80 On ne revit plus la folle. Qu'en avaient-ils fait ? Où l'avaient-ils portée ? On ne le sut jamais.

La neige tombait maintenant jour et nuit, ensevelissant la plaine et les bois sous un linceul de mousse glacée. Les loups venaient hurler jusqu'à nos portes.
85 La pensée de cette femme perdue me hantait ; et je fis plusieurs démarches auprès de l'autorité prussienne, afin d'obtenir des renseignements. Je faillis être fusillé.

Le printemps revint. L'armée d'occupation s'éloigna. La maison de ma voisine restait fermée ; l'herbe drue poussait dans
90 les allées.

La vieille bonne était morte pendant l'hiver. Personne ne s'occupait plus de cette aventure ; moi seul y songeais sans cesse.

Qu'avaient-ils fait de cette femme ? S'était-elle enfuie à travers les bois ? L'avait-on recueillie quelque part, et gardée dans un
95 hôpital sans pouvoir obtenir d'elle aucun renseignement ? Rien ne venait alléger mes doutes ; mais, peu à peu, le temps apaisa le souci de mon cœur.

Or, à l'automne suivant, les bécasses passèrent en masse ; et, comme ma goutte me laissait un peu de répit, je me traînai jusqu'à
100 la forêt. J'avais déjà tué quatre ou cinq oiseaux à long bec, quand j'en abattis un qui disparut dans un fossé plein de branches. Je fus obligé d'y descendre pour y ramasser ma bête. Je la trouvai tombée auprès d'une tête de mort. Et brusquement le souvenir de la folle m'arriva dans la poitrine comme un coup de poing.
105 Bien d'autres avaient expiré dans ces bois peut-être en cette année sinistre ; mais je ne sais pourquoi, j'étais sûr, sûr, vous dis-je, que je rencontrais la tête de cette misérable maniaque.

Et soudain je compris, je devinai tout. Ils l'avaient abandonnée sur ce matelas, dans la forêt froide et déserte ; et, fidèle à son
110 idée fixe, elle s'était laissée mourir sous l'épais et léger duvet des neiges et sans remuer le bras ou la jambe.

Puis les loups l'avaient dévorée.

Et les oiseaux avaient fait leur nid avec la laine de son lit déchiré.

115 J'ai gardé ce triste ossement. Et je fais des vœux pour que nos fils ne voient plus jamais de guerre.

# Arrêt sur lecture 3

## Un quiz pour commencer

***Cochez les bonnes réponses.***

❶ *Qui est Mlle Fifi ?*

❒ Une prostituée.

❒ Le marquis Wilhem d'Eyrik.

❒ Le surnom de Rachel.

❷ *Dans « Mademoiselle Fifi », qu'organisent les Prussiens pour tromper leur ennui ?*

❒ Un tournoi de cartes.

❒ Une soirée d'ivresse entre soldats.

❒ Une soirée avec des prostituées.

❸ *Dans « Mademoiselle Fifi », que signifie « faire la mine » ?*

❒ Faire la tête, bouder.

❒ Fusiller des paysans français.

❒ Organiser une petite explosion dans une pièce de vaisselle.

❹ *Qu'est-ce qui déclenche le récit de la vie du père Milon ?*

❒ Un souvenir d'enfance de son fils.

❒ Lors d'un dîner de famille, le père Milon commence à raconter sa vie.

❒ Les bourgeons de la vigne du père Milon.

❺ *Pourquoi le père Milon tue-t-il des Prussiens ?*

❒ Il défend son pays de l'invasion prussienne.

❒ Il venge son père et son fils, tués lors de guerres contre les Prussiens.

❒ Les Prussiens lui ont volé une vache et deux moutons.

❻ *Pourquoi le père Milon est-il fusillé ?*

❒ Il a refusé d'héberger des soldats dans sa ferme.

❒ Il a régulièrement tué des soldats prussiens.

❒ Il a craché au visage du colonel prussien.

❼ *Dans la nouvelle « La folle », comment se manifeste la folie de la voisine du narrateur ?*

❒ Elle hurle tout le temps.

❒ Elle reste prostrée et refuse de parler.

❒ Elle pleure sans cesse les morts de sa famille.

❽ *Qui s'inquiète du devenir de la folle ?*

❒ Les soldats prussiens.

❒ La servante du château.

❒ Le narrateur.

❾ *Comment les Prussiens ont-ils tué la folle ?*

❒ Ils l'ont abandonnée dans la forêt en plein hiver.

❒ Ils l'ont laissée mourir de faim dans sa chambre.

❒ Ils l'ont fusillée.

# Des questions pour aller plus loin

## ☛ Analyser l'effet de réel dans les nouvelles

### « Mademoiselle Fifi »

❶ Dans quelle région se déroule la nouvelle ? Justifiez votre réponse en relevant la toponymie.
❷ La nouvelle se passe dans un château. Quels sont les éléments descriptifs qui plantent un décor luxueux ?
❸ Relevez les noms des différents personnages de la nouvelle. Qu'est-ce qui permet de les identifier facilement ?
❹ Quel est l'intérêt d'avoir rapporté les propos du lieutenant Fritz au style direct p. 96 ?
❺ Retrouvez les différentes étapes de la révolte de Rachel contre les humiliations de W. Eyrik. Montrez qu'il s'agit d'un crescendo.
❻ Quel rôle joue la cloche de l'église dans cette nouvelle ?

### « Le père Milon »

❶ Pourquoi peut-on affirmer que cette nouvelle se déroule dans la campagne normande ?
❷ Quels indices permettent de situer historiquement l'action de la nouvelle ? Faites des recherches pour savoir ce qui s'est passé en France à cette époque.
❸ Comment s'exprime le père Milon ? Relevez dans un tableau des termes caractéristiques de sa prononciation, de son vocabulaire et de sa syntaxe. Quel est l'effet recherché ?
❹ Pourquoi Maupassant emploie-t-il le style direct pour faire parler ses personnages ?

❺ Trouvez dans « Le père Milon » deux analepses, une ellipse, un sommaire et une scène. Comment pouvez-vous expliquer l'utilisation des différentes vitesses narratives ?
❻ Qu'est-ce qui fait la brutalité du dernier paragraphe de la nouvelle ?

## « La folle »

❶ Dans quel lieu géographique se situe l'action de la nouvelle « La folle » ? Dans quel espace principal se déroule le récit ?
❷ À quelle époque se déroule la nouvelle ? Comment le savez-vous ?
❸ Comment Maupassant fait-il parler les Prussiens dans cette nouvelle ?
❹ Dans cette nouvelle, les personnages n'ont pas d'identité précise. Comment sont-ils désignés ? Qu'est-ce qui permet de les repérer ?
❺ « Quand la mort est entrée une fois dans une maison, elle y revient presque toujours immédiatement, comme si elle connaissait la porte » (l. 9-11, p. 117). Quelle est la figure de style employée par l'auteur ?
❻ « Et je fais des vœux pour que nos fils ne voient plus jamais de guerre » (l. 115-116, p. 121). Ainsi se termine « La folle ». Expliquez en quoi cette phrase est bien une chute de nouvelle.

*Rappelez-vous !*
Toutes les nouvelles de ce recueil sont réalistes. Elles nous donnent l'illusion de la réalité par une intrigue qui se déroule dans des lieux reconnaissables, à un moment historique connu. Les personnages sont inscrits dans un univers culturel et social précis. L'intrigue est construite de façon linéaire et logique. Le monde dans lequel entre alors le lecteur lui devient rapidement familier.

# De la lecture à l'écriture

## *Des mots pour mieux écrire*

❶ ***Complétez chacune de ces phrases avec les mots qui conviennent et accordez-les ou conjuguez-les correctement :*** subordonné, lassitude, vociférer, humble, inerte.

**a.** Le père Milon et sa famille habitent dans une maison très ____________ de la campagne normande.

**b.** Le commandant ____________ des paroles méprisantes à la pauvre folle.

**c.** Mademoiselle Fifi est le ____________ du major, le comte de Farlsberg.

**d.** Le corps du jeune marquis resta ____________ après le coup de couteau donné par Rachel.

**e.** Les soldats prussiens regardent avec ____________ la pluie qui tombe sur le parc du château.

❷ ***Dans la nouvelle « Mademoiselle Fifi » plusieurs mots employés ont été composés par préfixation et suffixation. Expliquez la composition du mot*** désœuvrement.
***Quel est le sens de ce mot ?***
***Trouvez trois autres mots dans « Mademoiselle Fifi » composés ainsi et donnez leur sens.***

❸ ***Voici quelques mots normands pris dans le Glossaire du patois normand de Louis Du Bois :*** un caluchot, débacler, un galapian, un pataraud, un nariau.
***Essayer d'en deviner le sens et d'en proposer une étymologie. Faites ensuite des recherches sur Internet pour vérifier vos réponses.***

## *À vous d'écrire*

❶ Vous êtes journaliste. Vous rédigez pour la rubrique « Faits divers » de votre quotidien, un article racontant le destin du père Milon.
***Consigne.*** D'une trentaine de lignes, votre article aura un titre et un chapeau introductif. Il devra respecter la chronologie des faits et expliquer l'attitude du père Milon.

❷ Recherchez des mots du patois de votre région et inventez un dialogue entre deux paysans. Un paysan essaie de vendre ses mauvaises terres à un autre.
***Consigne.*** Votre dialogue sera d'une trentaine de lignes. Vous ferez attention à la transcription phonétique et à la ponctuation.

# Du texte à l'image

**➡ Adaptation de *Mademoiselle Fifi* par Claude Santelli (1989).**
**(Image reproduite en fin d'ouvrage, au verso de la couverture.)**

## *Lire l'image*

❶ Quels personnages sont présents sur cette photographie tirée du film de Claude Santelli ?
❷ Où se situe l'action ? Justifiez votre réponse.
❸ Comment pouvez-vous qualifier l'atmosphère de cette scène ?

## *Comparer le texte et l'image*

❹ À quel moment de la nouvelle correspond cette photographie ? Justifiez votre réponse.

❺ Où se situent Rachel et Mlle Fifi ?

❻ Relevez tous les détails qui marquent le souci de réalisme du réalisateur.

##  *À vous de créer*

❼ Vous êtes ingénieur du son, quels sons proposez-vous pour cette scène ?

❽ Écrivez le story-board de cette scène (document illustré indiquant pour chaque plan du film les informations nécessaires au tournage d'une scène). Vous devez mentionner tous les éléments suivants : sons, paroles prononcées par les acteurs, mouvements de caméra, lumière, jeux d'acteurs.

# Arrêt sur l'œuvre

## Des questions sur l'ensemble des nouvelles

### La structure des nouvelles

❶ Quelles sont les différentes nouvelles encadrées dans ce recueil ? Pourquoi ce choix de l'auteur ?

❷ Quels autres titres pourriez-vous donner aux nouvelles de ce recueil ?

❸ Choisissez trois nouvelles et faites une étude comparée des débuts et des fins de chacune d'entre elles. Quel est le rôle de la chute ?

### Les personnages des nouvelles

❹ Quels sont les points communs entre les héroïnes de « Première neige », « Histoire vraie » et « La rempailleuse » ?

❺ Quelles classes sociales sont présentées par Maupassant dans l'ensemble des nouvelles de ce recueil ?

❻ Comparez la dernière phrase d'« Histoire vraie » (p. 55) et la dernière phrase de « La rempailleuse » (p. 78). D'après vous, que veut nous dire Maupassant sur la femme et sur l'homme en général ?

# Des mots pour mieux écrire

## Lexique de la campagne

**Braconnier** : personne qui chasse sans autorisation.
**Calvaire** : croix, généralement dressée au croisement de deux chemins, représentant la crucifixion du Christ.
**Chaume** : paille qui couvre le toit des maisons.
**Chaumière** : petite maison traditionnelle rustique et pauvre dont le toit est recouvert de chaume.
**Contrée** : pays, région.
**Fourrage** : nourriture pour le bétail constituée de plantes.
**Fricot** : viande en ragoût, en sauce.
**Hobereau** : gentilhomme campagnard de petite noblesse qui vit sur ses terres.
**Labour** : travail de la terre qui consiste à l'ouvrir et à la retourner en profondeur pour la cultiver.
**Lisière** : limite, bord d'un terrain.
**Moissonner** : couper et récolter des céréales.
**Rosse** : mauvais cheval.
**Rural** : personne qui vit à la campagne.
**Semences** : graines qu'on sème.
**Terre inféconde** : terre stérile, qui ne produit pas de bonnes cultures.

***À vous de jouer ! Pour chacun des mots suivants, trouvez un équivalent dans le monde de la ville :*** du chaume, une contrée, un hobereau, la lisière, un rural.

## Lexique de la guerre

**Éclaireur** : soldat qui précède la marche d'une unité de combat.
**Gésir** : être étendu sans mouvement.
**Mutiler** : blesser, couper, estropier.
**Partialité** : attitude de celui qui prend parti sans souci de justice ni de vérité.
**Patriote** : personne qui aime sa patrie et qui la sert avec dévouement.
**Peine disciplinaire** : punition, sanction qui regarde une faute contre la discipline.
**Soudard** : soldat brutal et grossier.
**Subordonné** : personne soumise à une autorité ; un inférieur.
**Tacite** : qui n'est pas dit, qui est sous-entendu ; implicite.
**Uhlan** : cavalier des armées de Prusse, d'Autriche et d'Allemagne.

***Complétez les phrases suivantes à l'aide des mots du lexique de la guerre.***

Les ____________ avaient envahi la région ; c'étaient, pour la plupart, de véritables ____________ . La population terrorisée n'osait pas protester. Pourtant, le curé du village en véritable ____________ trouva un moyen de montrer sa résistance : il ne fit plus sonner la cloche de l'église. Un autre homme du village résista, lui aussi, mais de façon plus violente : il ____________ les soldats qu'il croisait sur les chemins de sa ferme. Toute la contrée connaissait les agissements des deux hommes mais d'un accord ____________ personne ne les dénonçait.

## Lexique de la pauvreté

**Délabrement** : état de ruine.
**Déshérité** : 1. privé d'héritage ; 2. désavantagé par la nature et par le sort.
**Gueux, gueuse** : personne réduite à la mendicité.
**Haillonneuse** : personne vêtue de guenilles, de vêtements en loques.
**Hardes** : vêtements usagers et misérables.
**Masure** : maison misérable, délabrée.
**Vagabond** : personne sans domicile fixe et sans ressources qui parcourt les chemins.
**Vivoter** : vivre au ralenti, faute de santé ou de moyens.

### *Mots croisés*

**Horizontalement**
**1.** Vêtements en mauvais état
**2.** Pauvre, sans biens matériels
**3.** Personne qui vit d'aumônes

**Verticalement**
**A.** Dégradation, vétusté
**B.** Gueux contemporain
**C.** Subsister, végéter

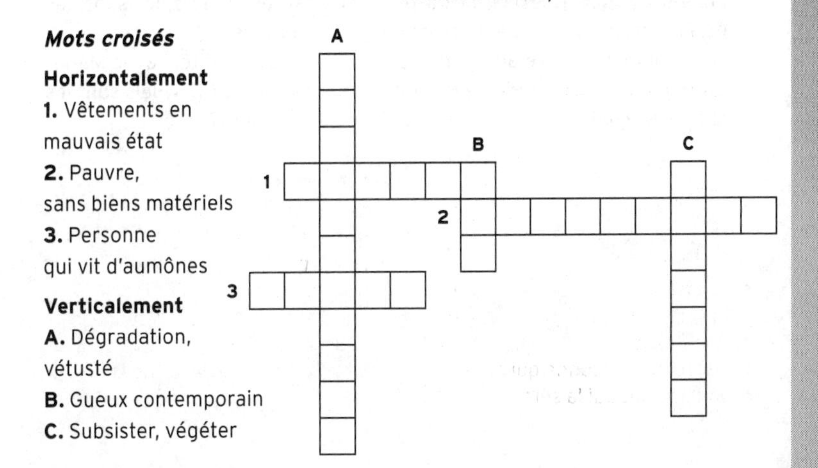

# À vous de créer

## ❶ Créer une couverture

Cherchez dans votre CDI des recueils de nouvelles de Maupassant dans lesquels sont publiées les nouvelles de cette édition. Observez les couvertures de ces livres.

– Que représentent-elles ?

– Sont-elles réalistes comme l'écriture de Maupassant ? Ou l'éditeur a-t-il pris un autre parti ?

– Proposez une illustration de couverture décalée. Justifiez votre choix. Pour illustrer votre couverture, vous pouvez utiliser un dessin, une photographie, une reproduction d'un tableau ou un collage.

– Créez à l'ordinateur une couverture pour un recueil comptant quatre titres choisis parmi les nouvelles de ce volume. Vous soignerez l'illustration et le paratexte : vous donnerez un nouveau titre à votre recueil et préciserez le nom de l'auteur, de l'éditeur et de la collection.

## ❷ Une adaptation cinématographique d'« Histoire vraie »

Relisez « Histoire vraie » et plus particulièrement la scène où Varnetot annonce à Rose qu'il veut la marier, p. 54.

– Rédigez le story-board (voir p. 128) de la scène sous la forme d'un tableau : le décor, les paroles prononcées par les acteurs, les sons, les éclairages, les mouvements de caméra, les cadrages.

– Comparez votre adaptation à celle de Claude Santelli avec Marie-Christine Barrault et Pierre Mondy (*Histoire vraie*, 1973). Quels sont les choix de Claude Santelli concernant le jeu des acteurs ?

# Groupements de textes

## Portraits de femmes

### Honoré de Balzac, *Le Père Goriot*

**Durant toute sa vie, Balzac (1799-1850) travaille sans relâche à son édifice romanesque: *La Comédie humaine*. Grâce à son sens aigu de l'observation et à une très bonne connaissance de la vie sociale de son temps, le romancier plonge son lecteur dans la société du XIXe siècle. Dans les premières pages du *Père Goriot* (1835), Balzac décrit avec minutie la pension Vauquer, où habitent certains personnages du roman, et brosse le portrait de sa propriétaire, Mme Vauquer.**

Cette pièce est dans tout son lustre [1] au moment où, vers sept heures du matin, le chat de Mme Vauquer précède sa maîtresse, saute sur les buffets, y flaire le lait que contiennent plusieurs jattes couvertes d'assiettes, et fait entendre son *ronron* matinal. Bientôt la veuve se montre, attifée [2] de son bonnet de tulle sous lequel pend un tour de faux cheveux mal mis; elle marche en traînassant ses pantoufles grimacées. Sa face vieillotte, grassouillette, du milieu de laquelle sort un nez à bec de perroquet, ses petites

1. **Lustre**: éclat.
2. **Attifée**: habillée avec mauvais goût, d'une manière ridicule.

mains potelées, sa personne dodue comme un rat d'église, son corsage trop plein et qui flotte, sont en harmonie avec cette salle où suinte [1] le malheur, où s'est blottie la spéculation et dont Mme Vauquer respire l'air chaudement fétide [2] sans en être écœurée. Sa figure fraîche comme une première gelée d'automne, ses yeux ridés, dont l'expression passe du sourire prescrit aux danseuses à l'amer renfrognement de l'escompteur, enfin toute sa personne explique la pension, comme la pension implique sa personne. Le bagne ne va pas sans l'argousin [3], vous n'imagineriez pas l'un sans l'autre. L'embonpoint blafard de cette petite femme est le produit de cette vie, comme le typhus est la conséquence des exhalaisons d'un hôpital. Son jupon de laine tricotée, qui dépasse sa première jupe faite avec une vieille robe, et dont la ouate s'échappe par les fentes de l'étoffe lézardée, résume le salon, la salle à manger, le jardinet, annonce la cuisine et fait pressentir les pensionnaires. Quand elle est là, ce spectacle est complet.

Honoré de Balzac, *Le Père Goriot* [1835],
Gallimard, « La Bibliothèque Gallimard », 2000.

## Prosper Mérimée, *Carmen*

**Prosper Mérimée (1803-1870) compose en 1845 *Carmen*, nouvelle qui a inspiré à Georges Bizet un célèbre opéra. Don José, amoureux fou de Carmen[4] déserte l'armée et devient voleur et assassin pour sa belle. Mais après l'avoir aimé, Carmen le délaisse pour un beau torero, Lucas. José se vengera… et Carmen deviendra un mythe. Dans l'extrait suivant, le narrateur rencontre Carmen pour la première fois.**

En arrivant auprès de moi, ma baigneuse laissa glisser sur les épaules la mantille qui lui couvrait la tête, et, à l'obscure clarté qui tombe des étoiles, je vis qu'elle était petite, jeune, bien faite,

1. **Suinte** : transparaît, se dégage.
2. **Fétide** : se dit d'une odeur forte et répugnante.
3. **Argousin** : agent de police (vieilli).
4. Le prénom de l'héroïne de Mérimée vient du latin et signifie « parole magique », « enchantement ».

et qu'elle avait de très grands yeux. Je jetai mon cigare aussitôt. Elle comprit cette attention d'une politesse toute française, et se hâta de me dire qu'elle aimait beaucoup l'odeur du tabac, et que même elle fumait, quand elle trouvait des *papelitos*[1] bien doux. Par bonheur, j'en avais de tels dans mon étui, et je m'empressai de lui en offrir. [...]

Tout en causant, nous étions entrés dans la *neveria*[2], et nous étions assis à une petite table éclairée par une bougie renfermée dans un globe de verre. J'eus alors tout le loisir d'examiner ma *gitana* pendant que quelques honnêtes gens s'ébahissaient, en prenant leurs glaces, de me voir en si bonne compagnie.

Je doute fort que Mlle Carmen fût de race pure, du moins elle était infiniment plus jolie que toutes les femmes de sa nation que j'aie jamais rencontrées. Pour qu'une femme soit belle, il faut, disent les Espagnols, qu'elle réunisse trente *si*, ou, si l'on veut, qu'on puisse la définir au moyen de dix adjectifs applicables chacun à trois parties de sa personne. Par exemple, elle doit avoir trois choses noires: les yeux, les paupières et les sourcils; trois fines, les doigts, les lèvres, les cheveux, etc. Voyez Brantôme pour le reste. Ma bohémienne ne pouvait prétendre à tant de perfections. Sa peau, d'ailleurs parfaitement unie, approchait fort de la teinte du cuivre. Ses yeux étaient obliques, mais admirablement fendus; ses lèvres un peu fortes, mais bien dessinées et laissant voir des dents plus blanches que les amandes sans leur peau. Ses cheveux, peut-être un peu gros, étaient noirs, à reflets bleus comme l'aile d'un corbeau, longs et luisants. Pour ne pas vous fatiguer d'une description trop prolixe[3], je vous dirai en somme qu'à chaque défaut elle réunissait une qualité qui ressortait peut-être plus fortement par le contraste. C'était une beauté étrange et sauvage, une figure qui étonnait d'abord, mais qu'on ne pouvait oublier. Ses yeux surtout avaient une expression à la fois voluptueuse et farouche que je n'ai trouvée depuis à aucun regard humain.

Prosper Mérimée, *Carmen* [1845], Gallimard, «Folio classique», 2000.

---

1. **Papelitos**: cigarettes.
2. **Neveria**: café où l'on vend des glaces.
3. **Prolixe**: qui se perd en détails.

## Gustave Flaubert, *Un cœur simple*

**Gustave Flaubert (1821-1880), père spirituel de Maupassant, écrit en 1877 *Un cœur simple* où il raconte la vie de Félicité, une servante qui consacre son existence aux autres: sa maîtresse Mme Aubain, les enfants de celle-ci, son neveu Victor et même son perroquet Loulou. Félicité est une brave fille de campagne, dévouée et dévote; elle est simple et parle très peu. C'est d'ailleurs par ses actes que Flaubert choisit de la décrire dans l'incipit du conte.**

Pendant un demi-siècle, les bourgeoises de Pont-l'Evêque envièrent à Madame Aubain sa servante Félicité.

Pour cent francs par an, elle faisait la cuisine et le ménage, cousait, lavait, repassait, savait brider un cheval, engraisser les volailles, battre le beurre, et resta fidèle à sa maîtresse, qui n'était pas cependant une personne agréable.

Elle avait épousé un beau garçon sans fortune, mort au commencement de 1809, en lui laissant deux enfants très jeunes avec une quantité de dettes. Alors, elle vendit ses immeubles, sauf la ferme de Toucques et la ferme de Geffosses dont les rentes [1] montaient à cinq mille francs tout au plus, et elle quitta sa maison de Saint-Melaine pour en habiter une autre moins dispendieuse [2], ayant appartenu à ses ancêtres et placée derrière les halles.

[...]

Elle se levait dès l'aube pour ne pas manquer la messe, et travaillait jusqu'au soir sans interruption; puis le dîner étant fini, la vaisselle en ordre et la porte bien close, elle enfouissait la bûche sous les cendres et s'endormait devant l'âtre, son rosaire [3] à la main. Personne dans les marchandages, ne montrait plus d'entêtement. Quant à la propreté, le poli de ses casseroles faisait le désespoir des autres servantes. Économe, elle mangeait avec lenteur, et recueillait du doigt sur la table les miettes de son pain, un pain de douze livres, cuit exprès pour elle, et qui durait vingt jours.

En toute saison elle portait un mouchoir d'indienne fixé dans le dos par une épingle, un bonnet lui cachant les cheveux, des

1. **Rentes**: revenus annuels.
2. **Moins dispendieuse**: qui revient moins cher.
3. **Rosaire**: grand chapelet utilisé par les catholiques pour faire leurs prières.

bas gris, un jupon rouge – et par-dessus sa camisole[1] un tablier à bavette, comme les infirmières d'hôpital.

Son visage était maigre et sa voix aiguë. À vingt-cinq ans, on lui en donnait quarante; dès la cinquantaine, elle ne marqua plus aucun âge; – et, toujours silencieuse, la taille droite et les gestes mesurés, semblait une femme en bois, fonctionnant d'une manière automatique.

Gustave Flaubert, *Un cœur simple* [1877],
Gallimard, « La Bibliothèque Gallimard », 2000.

## Gustave Flaubert, *L'Éducation sentimentale*

**Dans *L'Éducation sentimentale* (1869), Frédéric Moreau, jeune homme rêveur et faible, part à Paris faire des études de droit. Sur le bateau qui fait la navette entre Paris et Nogent, il rencontre celle qui deviendra l'objet d'une grande passion: Mme Arnoux.**

Ce fut comme une apparition:

Elle était assise, au milieu du banc, toute seule; ou du moins il ne distingua personne, dans l'éblouissement que lui envoyèrent ses yeux. En même temps qu'il passait, elle leva la tête; il fléchit involontairement les épaules; et, quand il se fut mis plus loin, du même côté, il la regarda.

Elle avait un large chapeau de paille, avec des rubans roses qui palpitaient au vent derrière elle. Ses bandeaux noirs, contournant la pointe de ses grands sourcils, descendaient très bas et semblaient presser amoureusement l'ovale de sa figure. Sa robe de mousseline claire, tachetée de petits pois, se répandait à plis nombreux. Elle était en train de broder quelque chose; et son nez droit, son menton, toute sa personne se découpait sur le fond de l'air bleu.

Comme elle gardait la même attitude, il fit plusieurs tours de droite et de gauche pour dissimuler sa manœuvre; puis il se

1. **Camisole**: veste légère en lingerie que les femmes portaient autrefois.

planta tout près de son ombrelle, posée contre le banc, et il affectait[1] d'observer une chaloupe sur la rivière.

Jamais il n'avait vu cette splendeur de sa peau brune, la séduction de sa taille, ni cette finesse des doigts que la lumière traversait. Il considérait son panier à ouvrage avec ébahissement, comme une chose extraordinaire. Quels étaient son nom, sa demeure, sa vie, son passé ? Il souhaitait connaître les meubles de sa chambre, toutes les robes qu'elle avait portées, les gens qu'elle fréquentait; et le désir de la possession physique même disparaissait sous une envie plus profonde, dans une curiosité douloureuse qui n'avait pas de limites.

Gustave Flaubert, *L'Éducation sentimentale* [1869],
Gallimard, « Folio classique », 2005.

## Émile Zola, *Nana*

**Émile Zola (1840-1902) est un écrivain naturaliste: il considère, comme certains scientifiques du XIX^e siècle, que les comportements humains sont entièrement déterminés par l'hérédité et l'influence du milieu. Neuvième roman du cycle des « Rougon-Macquart », *Nana* raconte l'ascension et la décadence de Nana, fille du peuple, devenue actrice et prostituée.**

Nana, très grande, très forte pour ses dix-huit ans, dans sa tunique blanche de déesse, ses longs cheveux blonds simplement dénoués sur les épaules, descendit vers la rampe avec un aplomb tranquille, en riant au public. Et elle entama son grand air:

Lorsque Vénus rôde le soir…

Dès le second vers, on se regardait dans la salle. [...] Jamais on n'avait entendu une voix aussi fausse, menée avec moins de méthode. Son directeur la jugeait bien, elle chantait comme une seringue. Et elle ne savait même pas se tenir en scène, elle jetait les mains en avant, dans un balancement de tout son corps, qu'on

1. **Affectait**: faisait semblant.

trouva peu convenable et disgracieux. Des oh ! oh ! s'élevaient déjà du parterre et des petites places, on sifflotait [...]

Nana, cependant, en voyant rire la salle, s'était mise à rire. La gaieté redoubla. Elle était drôle tout de même, cette belle fille. Son rire lui creusait un amour de petit trou dans le menton. Elle attendait, pas gênée, familière, entrant tout de suite de plain-pied avec le public, ayant l'air de dire elle-même d'un clignement d'yeux qu'elle n'avait pas de talent pour deux liards, mais que ça ne faisait rien, qu'elle avait autre chose. Et, après avoir adressé au chef d'orchestre un geste qui signifiait : « Allons-y, mon bonhomme ! » elle commença le second couplet :

À minuit, c'est Vénus qui passe...

C'était toujours la même voix vinaigrée, mais à présent elle grattait si bien le public au bon endroit, qu'elle lui tirait par moments un léger frisson. Nana avait gardé son rire, qui éclairait sa petite bouche rouge et luisait dans ses grands yeux, d'un bleu très clair. À certains vers un peu vifs, une friandise retroussait son nez dont les ailes roses battaient, pendant qu'une flamme passait sur ses joues. Elle continuait à se balancer, ne sachant faire que ça. Et on ne trouvait plus ça vilain du tout, au contraire ; les hommes braquaient leurs jumelles.

Émile Zola, *Nana* [1880], Gallimard, « Folio classique », 2002.

# Nouvelles à chute

## Julio Cortázar, « Continuité des parcs »

**Julio Cortázar (1914-1984) est un écrivain argentin. Il vit à Buenos Aires jusqu'en 1951 puis à Paris, pour raisons politiques, jusqu'à sa mort. Au début de « Continuité des parcs », un homme, confortablement installé dans un fauteuil, lit un roman qui le passionne. Il est absorbé par l'intrigue de son livre : avec son amant, une femme se prépare à tuer son mari.**

Rien n'avait été oublié : alibis, hasards, erreurs possibles. À partir de cette heure, chaque instant avait son usage minutieusement calculé. La double et implacable répétition était à peine interrompue le temps qu'une main frôle la joue. Il commençait à faire nuit.

Sans se regarder, étroitement liés à la tâche qui les attendait, ils se séparèrent à la porte de la cabane. Elle devait suivre le sentier qui allait vers le nord. Sur le sentier opposé, il se retourna un instant pour la voir courir, les cheveux dénoués. À son tour, il se mit à courir, se courbant sous les arbres et les haies. À la fin, il distingua dans la brume mauve du crépuscule l'allée qui conduisait à la maison. Les chiens ne devaient pas aboyer et ils n'aboyèrent pas. À cette heure, l'intendant ne devait pas être là et il n'était pas là. Il monta les trois marches du perron et entra. À travers le sang qui bourdonnait dans ses oreilles, lui parvenaient encore les paroles de la femme. D'abord une salle bleue, puis un corridor, puis un escalier avec un tapis. En haut, deux portes. Personne dans la première pièce, personne dans la seconde. La porte du salon, et alors, le poignard en main, les lumières des grandes baies, le dossier élevé du fauteuil de velours vert et, dépassant le fauteuil, la tête de l'homme en train de lire un roman.

Julio Cortázar, « Continuité des parcs » dans *Les Armes secrètes* [1959], trad. de l'espagnol par C. et R. Caillois, Gallimard, 1963.

## Jacques Sternberg, « La bille »

**Jacques Sternberg (1923-2006) est un auteur belge de textes de science-fiction et de littérature fantastique. Voici dans son intégralité la nouvelle de science-fiction « La bille ».**

C'est avec enthousiasme qu'une importante industrie métallurgique de la Terre avait acheté, à prix d'or, cette planète lointaine qui n'était qu'une énorme bille de métal.

L'enthousiasme tomba quand on comprit qu'il paraissait impossible d'entamer cette gigantesque bille de l'espace. On employa d'abord les moyens du bord, puis d'énormes moyens, puis des solutions de désespoir et rien n'y fit. On ne creusa même pas un trou dans cette masse, on ne dota même pas ce sol d'une éraflure.

Sur Terre, la société déposait déjà son bilan : les frais de cette aventure galactique l'avaient entraînée dans une faillite sans fond.

Un quart d'heure avant de s'embarquer dans la dernière fusée à destination de la terre-patrie, un ouvrier qui n'avait plus soif déversa sur le sol le contenu de son verre de lait. Dans un nuage de fumée, il vit se former un véritable petit cratère dans les entrailles de la bille de métal qui, au contact du lait, fondait comme du beurre. Il éclata de rire, haussa ensuite les épaules et ne signala pas le fait. Cette planète ne lui disait rien.

Jacques Sternberg, « La bille » dans *Contes glacés*, Marabout, 1974.

## Pascal Mérigeau, « Quand Angèle fut seule... »

**Pascal Mérigeau (né en 1953) est journaliste et spécialiste de cinéma. Il a écrit deux romans : *Escaliers dérobés* et *Max Lang n'est plus ici*. Dans la nouvelle « Quand Angèle fut seule... », Angèle revient de l'enterrement de son mari Baptiste, mort de douleurs abdominales inexpliquées. La nouvelle est une analepse (un retour en arrière) : Angèle songe à son passé, à Baptiste, à « ses yeux bleus », à « ses chemises à fleurs »... Elle se souvient aussi des révélations de Cécile, une voisine, qui lui avait appris que Baptiste voyait régulièrement Germaine Richard près de la vigne...**

C'est ainsi qu'un jour elle lui dit, sur le ton de la conversation bien sûr, qu'il lui semblait bien avoir aperçu Baptiste discutant avec Germaine Richard, près de la vigne. Plusieurs fois au cours des mois qui suivirent, Cécile fit quelques autres « discrètes » allusions. Puis elle n'en parla plus. Mais alors, Angèle savait. Elle ne disait rien. Peu à peu, elle s'était habituée. Sans même avoir eu à y réfléchir, elle avait décidé de ne jamais en parler à Baptiste, ni à personne. C'était sa dignité. Cela avait duré jusqu'à ce que Baptiste tombe malade pour ne plus jamais se relever. Cela avait duré près de vingt ans. Son seul regret, disait-elle parfois, était de n'avoir pas eu d'enfants. Elle ne mentait pas. Encore une raison de détester la Germaine Richard d'ailleurs, car elle, elle avait un fils, né peu de temps après la mort de son père ; Edmond Richard, un colosse aux yeux et aux cheveux noirs avait été emporté en quelques semaines par un mal terrible, dont personne n'avait jamais rien su. Le fils Richard, on ne le connaissait pas à Sainte-Croix. Il avait été élevé par une tante, à Angers. Un jour cependant, c'était juste avant que Baptiste ne tombe malade, il était venu voir sa mère. Cécile était là, bien sûr, puisque Cécile est toujours là quand il se passe quelque chose. Elle lui avait trouvé un air niais avec ses grands yeux bleus délavés. Angèle en avait semblé toute retournée.

Cécile était partie maintenant. La nuit était tombée. Angèle fit un peu de vaisselle. Elle lava quelques tasses, puis la vieille cafetière blanche, maintenant inutile, puisqu'Angèle ne buvait jamais de café. Elle la rangea tout en haut du bahut. Sous l'évier, elle prit quelques vieux pots à confiture vides. À quoi bon faire des confitures, elle en avait un plein buffet. Elle prit également quelques torchons, un paquet de mort-aux-rats aux trois-quarts vide, et s'en alla mettre le tout aux ordures. Il y avait bien vingt ans qu'on n'avait pas vu un rat dans la maison.

Pascal Mérigeau, « Quand Angèle fut seule... », Revue *Polar*, n° 28, 1983.

## Annie Saumont, « Faire suivre »

**Traductrice de textes anglo-saxons pendant vingt ans, Annie Saumont (née en 1927) ne se consacre aujourd'hui plus qu'à l'écriture. Elle s'est affirmée comme l'un des auteurs majeurs de nouvelles françaises. La plupart de ses recueils ont été couronnés par de nombreux prix littéraires. Dans « Faire suivre », une jeune femme rencontre au supermarché Ed, un jeune homme, Hernan. Commence alors entre eux une relation amoureuse. Mais un jour, Hernan ne rentre pas à la maison. La jeune femme l'attend et apprend qu'il y a eu un contrôle de police et que les papiers de son aimé n'étaient pas en règle. Elle l'attend... change d'appartement... et l'attend toute sa vie. Un jour, elle évoque son souvenir à la narratrice, une jeune voisine.**

Elle m'a raconté sa vie. Elle a conclu, Excusez. À votre âge on n'a pas à se soucier des radotages d'une vieille gâteuse. Elle dit, J'ai toujours froid et pourtant par moments il me vient comme une chaleur entre les jambes.

Son premier logis, c'est moi qui l'habite désormais. J'adore les maisons anciennes. Je lui assure que j'en prends soin. Tous les mois j'irai la voir pour lui payer le loyer.

Ce matin-là il n'y avait personne. La concierge m'a dit, Vous ne saviez pas ? Cette femme. Elle était usée par la vie, par l'ennui. L'assistante sociale l'a trouvée dans son lit, gémissante. Ceux du Samu l'ont embarquée pour l'hôpital.

J'y suis allée. Elle était en réa.

Je l'ai vue, blanche et mince. Paisible. Et puis glacée.

Des cousins éloignés ont hérité de ses quelques biens, ils m'ont gardée comme locataire. Je tiens de mon mieux la maison où elle avait projeté de vivre avec l'homme qu'elle aimait. J'ai décidé que ce plancher de chêne si je le décapais le vernissais ça aurait de l'allure. J'ai entrepris d'ôter le revêtement.

*Ma chérie, mon amour, je suis venu te chercher. Es-tu chez Ed à faire tes courses ? Tu te souviens ? Moi je serai jusqu'à demain dans cet hôtel que tu connais. Rejoins-moi, je t'en prie.*

Depuis quarante ans la lettre est là.

La lettre qu'un jour Hernan a passée sous la porte. Et que malencontreusement il a glissée sous le lino.

Annie Saumont, « Faire suivre » dans *C'est rien ça va passer*, Julliard, 2001.

## Claude Bourgeyx, « Lucien »

**Claude Bourgeyx (né en 1943) est auteur de théâtre et romancier. Il écrit des romans pour les adultes et se consacre aussi à la littérature pour la jeunesse. Voici dans son intégralité la nouvelle « Lucien ».**

Lucien était douillettement recroquevillé sur lui-même. C'était sa position favorite. Il ne s'était jamais senti aussi détendu, heureux de vivre. Son corps était au repos, léger, presque aérien. Il se sentait flotter. Pourtant il n'avait absorbé aucune drogue pour accéder à cette sorte de béatitude[1]. Lucien était calme et serein naturellement ; bien dans sa peau, comme on dit. Un bonheur égoïste, somme toute.

La nuit même, le malheureux fut réveillé par des douleurs épouvantables. Il était pris dans un étau, broyé par les mâchoires féroces de quelque fléau[2]. Quel était ce mal qui lui fondait dessus ? Et pourquoi sur lui plutôt que sur un autre ? Quelle punition lui était donc infligée ? « C'est la fin », se dit-il.

Il s'abandonna à la souffrance en fermant les yeux, incapable de résister à ce flot qui le submergeait, l'entraînant loin des rivages familiers. Il n'avait plus la force de bouger. Un carcan l'emprisonnait de la tête aux pieds. Il se sentait emporté vers un territoire inconnu qui l'effrayait déjà. Il crut entendre une musique abyssale. Sa résistance faiblissait. Le néant l'attirait.

Un sentiment de solitude l'envahit. Il était seul dans son épreuve.

---

1. **Béatitude** : bien-être intense.
2. **Fléau** : instrument à battre les céréales, composé de deux bâtons.

Personne pour l'aider. Il devrait franchir le passage en solitaire. Pas moyen de faire autrement. « C'est la fin », se répéta-t-il.

La douleur finit par être si forte qu'il faillit perdre la raison. Et puis, soudain, ce fut comme si les mains de Dieu l'écartelaient. Une lumière intense l'aveugla. Ses poumons s'embrasèrent[1]. Il poussa un cri.

En le tirant par les pieds, la sage-femme s'exclama, d'une voix tonitruante[2]: « C'est un garçon ! »

Lucien était né.

Claude Bourgeyx, « Lucien » dans *Les Petits Outrages*, Le Castor Astral, 2004.

---

1. **S'embrasèrent** : s'enflammèrent.
2. **Tonitruante** : très forte.

# Autour de l'œuvre

## Interview imaginaire de Guy de Maupassant

***Guy de Maupassant, pouvez-vous nous parler de votre enfance et de votre jeunesse ?***

Je suis né le 5 août 1850 au château de Miromesnil en Normandie. J'ai passé toute mon enfance dans cette région que j'ai parcourue en tous sens avec mes parents. Nous avons habité Étretat, Fécamp, Rouen... J'ai terminé mes études secondaires au lycée de Rouen où j'ai eu mon bac en 1869. Je m'inscris à la faculté de droit de Paris mais la guerre franco-prussienne éclate... Je suis appelé comme soldat en juillet 1870 et je fais tout pour quitter l'armée ; j'en pars en septembre 1871. Je garde de cette expérience une profonde horreur de la guerre. Quand j'entends prononcer le mot « guerre », il me vient un effarement comme si on me parlait de sorcellerie, d'inquisition, d'une chose abominable, monstrueuse.

Guy de Maupassant (1850-1893)

### ⏭ *Comment êtes-vous devenu écrivain ?*

Dans ma jeunesse, j'écris des vers, persuadé que je suis un grand poète ! Je me lance ensuite dans le théâtre rédigeant des pièces, sans grande valeur, jouées avec des amis. Après la guerre franco-prussienne, j'entre comme employé au ministère de la Marine puis au ministère de l'Instruction publique. Je travaille pour deux journaux *Le Gaulois* à partir de 1880 et *Gil Blas* à partir de 1881, et publie dans leurs colonnes mes contes et nouvelles. C'est le début d'une longue collaboration. Je gagne ainsi un peu d'argent. L'écriture dans des journaux a des contraintes qui m'obligent à travailler la structure de mes récits. Le texte doit faire entre 2 500 et 3 000 mots, le sujet doit être resserré autour d'un événement privilégié et il faut tendre vers un effet final, la fameuse « chute » de la nouvelle. Ces contraintes m'enseignent l'exigence du mot juste et du rythme des phrases. À la fin de ma vie, j'ai tout de même écrit environ trois cents contes et nouvelles et deux cents chroniques ! Sans oublier des romans comme *Une vie* (1883) ou *Bel-Ami* (1885).

### ⏭ *Quel rôle Gustave Flaubert a-t-il joué dans votre formation littéraire ?*

Gustave Faubert est un ami d'enfance de ma mère. Je lui soumets mes premiers écrits. Il me corrige, me dirige et me donne des exercices à faire. Par exemple, je dois observer mon concierge et retranscrire le fruit de mes observations. Je vais souvent lui rendre visite à Croisset. Grâce à Gustave Flaubert, je rencontre des écrivains comme Émile Zola et Alphonse Daudet. À partir de 1873, ce sont des années d'efforts assidus sous sa direction qui commencent et j'accède ainsi réellement à l'écriture littéraire. À ce moment-là, je perçois le sens du mot « travail » en littérature. Gustave Flaubert m'a guidé, m'a poussé à l'exercice de la critique. Il a été impitoyable avec moi et m'a dit un jour : « Il faut travailler plus que ça [...] trop de canotage, trop d'exercices. » J'ai compris que le travail littéraire nécessite une longue patience. Ma véritable expression est alors devenue la nouvelle, la chronique et le roman.

### ⏭ *Certains vous classent dans le courant littéraire « réaliste », qu'en pensez-vous ?*

Je me moque bien des courants littéraires. J'essaie de transmettre des impressions au lecteur comme les peintres impressionnistes. Je cherche à rendre des effets de réel et de vraisemblance. Avec Émile Zola notamment, nous avons composé un recueil en 1880 pour illustrer cette démarche : *Les Soirées de Médan*. C'est dans ce recueil que j'ai publié ma longue nouvelle « Boule de suif ». Plus tard, en 1888, dans « Étude sur le roman » j'essaie de préciser mes idées sur le contenu d'un roman, le rôle du romancier, et la notion d'exactitude et de vérité. L'écrivain réaliste essaie de rendre une image exacte de la vie. Mais pour faire vrai, il doit donner l'illusion complète du vrai. En effet, on ne peut pas tout raconter dans un texte de fiction : le volume d'un livre serait alors considérable. Il faut donc opérer un tri. Il faut voir, et voir juste.

### ⏭ *Quels sont les thèmes qui vous sont chers ?*

La Normandie tout d'abord. J'en ai une connaissance intime et viscérale ; j'en connais les paysages côtiers, les ports, les falaises… mais aussi la campagne, les petits villages du pays de Caux, les masures…

La femme et ses relations avec l'homme, ou, disons plutôt, l'incompréhension entre l'homme et la femme ; l'enfant et le problème de la paternité ; l'argent et son importance dévastatrice ; la guerre, non pour le sentiment patriotique qu'elle peut susciter, mais dans ce qu'elle a d'affreux. Et finalement, l'interrogation sur notre capacité à être heureux… Je jette souvent sur l'existence humaine un regard assez noir. Plus j'avance dans la vie et plus je suis pessimiste, à l'égard de tout et de tous. J'ai écrit à ma mère un jour, la phrase suivante : « J'ai froid plus encore de la solitude de la vie que de la solitude de la maison. »

### ⏭ *On dit que vous êtes malade. Réussissez-vous encore à écrire ?*

Je suis de plus en plus malade, j'ai des migraines atroces, des problèmes oculaires, des angoisses, des sensations de dédoublement, des hallucinations. J'éprouve un profond mal de vivre… Mais, j'ai encore des moments de lucidité et je suis alors complètement maître de mon travail. Il est vrai que mes récits deviennent plus mystérieux, insaisissables, on les qualifie de fantastiques. Les personnages sont happés par l'angoisse, par une peur inexpliquée. Il paraît qu'ils donnent même parfois des frissons au lecteur ! Mais si je ne peux plus écrire… je deviens réellement fou.

# Contexte historique et culturel

## Les débuts de la III^e^ République

Les nouvelles de ce recueil ont été publiées entre 1882 et 1886 sous la IIIe République. Le régime connaît alors une période de calme après les soubresauts des années 1870.

1870, c'est «l'année terrible»: le territoire est envahi par les soldats prussiens et l'armée française est défaite à Sedan (2 septembre). Le Second Empire ne survit pas à ce désastre militaire: le 4 septembre, la IIIe République est proclamée à Paris.

Les débuts du régime sont incertains. L'Assemblée élue en 1871 est composée d'une majorité de députés royalistes. Craignant une restauration de la monarchie, le peuple de Paris se révolte lors de la Commune de Paris que l'Assemblée fait réprimer dans le sang (printemps 1871).

Dans les années qui suivent, les républicains, menés par Jules Ferry et Léon Gambetta, emportent les élections à l'Assemblée et au Sénat. En 1879, Jules Grévy est élu président de la République. Les républicains rétablissent les libertés de la presse et de réunion. En 1881-1882, Jules Ferry, ministre de l'Instruction publique fait voter les lois scolaires: gratuité de l'école primaire, obligation scolaire de six à treize ans et laïcité de l'enseignement public.

## Une France en plein essor

La seconde partie du XIXe siècle est une période de grandes innovations techniques. L'électricité est utilisée par les industries dès 1870, le téléphone apparaît (1876), les premières automobiles roulent (1885). En 1854, Nadar, grand photographe, ouvre son atelier; en 1889 la tour Eiffel s'élève; le cinématographe fait ses débuts à la fin du siècle. Les découvertes scientifiques se multiplient: le chimiste et physicien Pasteur découvre le vaccin antirabique en 1885, Pierre et Marie Curie découvrent la radioactivité en 1898.

La France s'industrialise à partir de 1830; l'industrie textile et l'industrie du fer ont été les deux premières industries motrices dans le passage d'une économie artisanale à une économie industrielle avec, par exemple, la construction des premières lignes de chemin de fer. Mais c'est surtout à partir de 1880 que la deuxième industrialisation va s'affirmer. On assiste à l'essor des banlieues, des cités minières dans l'Est et le Nord de la France, comme Zola le raconte dans son roman *Germinal* (1885). Les modes de vie se transforment grâce au développement de transports accessibles au plus grand nombre : le tramway, le métro, la bicyclette.

La riche bourgeoisie devient la classe sociale dirigeante. La mécanisation des campagnes favorise l'exode rural, les ouvriers sont de plus en plus nombreux. Les mouvements industriels nécessitent des opérations bancaires et permettent aux grandes fortunes de s'épanouir. Dans toutes les villes du pays, les banques prennent une place essentielle. On construit des grands magasins, des gares, des usines, des boulevards... Ces transformations fournissent à Zola la matière de nombre de ses romans : dans *La Curée* (1872), Zola décrit la bourgeoisie d'affaires et narre les manœuvres d'un grand spéculateur ; dans *Au bonheur des dames* (1883), il raconte l'avènement des grands magasins ; *L'Assommoir* (1877) est son roman sur le monde ouvrier et *La Bête humaine* (1890) celui sur le monde des chemins de fer.

## Les luttes politiques et sociales

Si certains s'enrichissent, d'autres vivent dans une grande misère. Ce problème social suscite une réflexion sur la notion d'*égalité* et sur les injustices sociales. La *liberté* ne suffit pas. Le développement des usines et de son prolétariat, la montée du syndicalisme créent une conscience politique importante. En 1830, c'est une émeute dans Paris, en 1848 c'est une révolution qui permettra des avancées : abolition de l'esclavage, liberté de la presse, suffrage universel. En 1871, c'est la Commune et sa répression sanglante.

## Les artistes dans ce siècle bouillonnant

La seconde moitié du XIXe siècle, après 1848, est marquée par deux mouvements littéraires et culturels : le réalisme et le naturalisme. Des auteurs tels Balzac, Zola, Flaubert ou Maupassant étudient le comportement des hommes dans leur milieu social comme dans *Le Père Goriot* (1835) ou encore *César Birotteau* (1837) de Balzac ou *Un cœur simple* (1877) de Flaubert. C'est dans les romans que ce courant littéraire se développe le plus. On observe aussi cette démarche chez certains peintres dit réalistes. Courbet, par exemple, veut être un témoin de son temps et peint des scènes banales comme *Un enterrement à Ornans* (1849). D'autres artistes – Renoir, Pissarro ou Monet – entendent capter un instant fugitif, une lumière furtive : ce sont les impressionnistes. Ce nom provient d'un tableau de Monet intitulé *Impression, soleil levant* (1872). Les impressionnistes vont saisir un instant de cette réalité à travers des jeux de lumières et à travers leur sensibilité, leurs émotions. Maupassant admirait ces peintres et décrit ainsi la technique picturale de Monet : « Je l'ai vu saisir une tombée étincelante de lumière [...] une autre fois, il prit à pleines mains une averse abattue sur la mer et la jeta sur la toile. »

# Repères chronologiques

| | |
|---|---|
| **1848** | **Révolution. Proclamation de la IIe République.** |
| 1849 | G. Courbet, *Un enterrement à Ornans* (peinture). |
| 1850 | Naissance de G. de Maupassant. |
| **1852** | **Début du Second Empire.** |
| 1857 | G. Flaubert, *Madame Bovary* (roman). |
| | Ch. Baudelaire, *Les Fleurs du mal* (poésie). |
| 1863 | Salon des refusés : É. Manet, C. Pissaro, P. Cézanne. |
| **1870** | **Guerre franco-allemande. Chute du Second Empire.** |
| | **Proclamation de la IIIe République.** |
| **1871** | **Répression sanglante de la Commune.** |
| 1873 | A. Rimbaud, *Une saison en enfer* (poésie). |
| | É. Zola, *Le Ventre de Paris* (roman). |
| 1874 | Première exposition des peintres impressionnistes. |
| **1877** | **Crise constitutionnelle, dissolution de l'Assemblée.** |
| 1877 | É. Zola, *L'Assommoir* (roman). |
| 1880 | A. Rodin, *Le Penseur* (sculpture). |
| **1881** | **Lois sur les libertés de la presse.** |
| 1881 | A. Renoir, *Le Déjeuner des canotiers* (peinture). |
| **1882** | **Mort de L. Gambetta.** |
| | **Lois de J. Ferry sur l'enseignement primaire.** |
| 1884 | P. Verlaine, *Art poétique* (dans le recueil *Jadis et Naguère*). |
| **1887** | **S. Carnot, président de la République.** |
| 1889 | Exposition universelle à Paris (tour Eiffel). |
| 1893 | Mort de G. de Maupassant. |
| 1894 | R. Kipling, *Le Livre de la jungle* (roman). |

# Les grands thèmes de l'œuvre

## *L'écriture réaliste*

### Comment écrire la réalité ?

Contrairement à ce que l'on pourrait penser, écrire la réalité demande un vrai travail d'écrivain : il faut opérer des choix, être précis et saisissant.

Les nouvelles de Maupassant s'inscrivent le plus souvent dans un lieu géographique précis et souvent réel : Rouen pour « Mademoiselle Fifi », Riom pour « Berthe », Mantes pour « Rosalie Prudent », Cannes pour « Première neige »... il serait possible d'en établir une véritable carte. Lorsque le narrateur ne mentionne pas le lieu exact de l'action, les descriptions ou les allusions au climat permettent de comprendre dans quel univers les personnages évoluent : dans un château normand, sur la Croisette à Cannes, à la campagne, dans un bourg. Ces précisions permettent au lecteur de visualiser les récits dans un cadre précis. D'autre part, Maupassant s'attache à donner à ses personnages une identité précise. Les personnages ont un nom qui renvoie souvent à leur condition sociale comme « le père Milon », les « Tuvache » pour les paysans, « Rachel » pour la prostituée juive ou le baron de Kelweingstein pour l'un des officiers prussiens. Lorsque l'auteur emploie le style direct, les paroles prononcées accentuent encore davantage la réalité des personnages. Leur identification se trouve ainsi facilitée. Il est à noter que la forme brève de la nouvelle ne permet pas de peindre des portraits précis : quelques adjectifs esquissent le personnage, et ses actes suffisent à le camper. En revanche, dans un roman, forme narrative longue, l'écrivain a le temps de s'attarder sur le portrait physique et moral de ses héros (voir le groupement de textes « Portraits de femmes », p. 133).

Les adaptations télévisuelles de l'œuvre de Maupassant essaient de rester fidèles à ce souci de réalisme. Claude Santelli, l'un des pionniers de ces adaptations, avait coutume de dire : « Ça existe, c'est dans Maupassant ! » Le cinéaste faisait son repérage en Normandie pour goûter l'atmosphère des textes. Il allait avec sa carte Michelin en quête du pays, d'un château, d'une masure, d'un habitant qui lui raconterait les coutumes de la région.

### Comment faire vraisemblable ?

Pour que le lecteur croie au texte, pour « faire vrai »... il faut faire faux ! Il faut donner l'illusion du vrai. Maupassant affirme que « les Réalistes de talent devraient plutôt s'appeler des Illusionnistes » dans « Étude sur le roman » au début de *Pierre et Jean*. C'est en travaillant l'écriture du récit que l'écrivain réussit à nous faire croire que sa réalité est la réalité. L'auteur doit faire des choix dans les détails qu'il nous livre : dans « Aux champs », par exemple, nous apprenons ce que mangent les paysans et leurs enfants et cela est suffisant pour nous indiquer leur pauvreté. Les personnages lorsqu'ils parlent ne disent que l'essentiel. Le docteur Bonnet dans « Berthe » ne rapporte qu'une conversation avec les parents de l'enfant, celle qui concerne le mariage de leur fille. On imagine pourtant qu'ils ont dû parler entre eux plus souvent, mais Maupassant, ne jugeant pas la mention de ce fait utile à la compréhension du récit, préfère le taire. La brièveté de la nouvelle impose en effet de resserrer l'intrigue au plus juste, et d'éviter les enchaînements de faits exceptionnels : on dit que l'auteur stylise son texte. Mais n'oublions pas que l'originalité d'un écrivain dépend de sa vision personnelle du monde, et c'est bien le cas pour Maupassant qui écrit : « Il faut trouver aux choses une signification qui n'a pas encore été découverte et tâcher de l'exprimer d'une façon personnelle » (lettre au poète Maurice Vaucaire). Il réussit ainsi à nous montrer ce qui est caché au plus profond de l'homme.

**Le réalisme, un courant littéraire du XIX^e^ siècle**

Les artistes créent imprégnés de leur époque. Ainsi la secousse politique et sociale de 1848 amène les artistes du XIXe siècle à s'interroger sur le sens à donner à leur création. Le peintre Courbet trouve ses sujets dans la réalité humble, banale, et provinciale. Des romanciers suivent ce même chemin artistique pour écrire sur ce qu'ils appellent les « basses classes » (les ouvriers, les petits bourgeois, les artisans) et proposer ainsi une étude de mœurs, en montrant comment les gens vivent. Les écrivains réalistes se documentent beaucoup, observent la réalité sociale, s'intéressent aux sciences pour essayer d'atteindre une forme d'objectivité. Maupassant s'intéressait particulièrement à la neurologie et aux travaux du docteur Charcot comme en témoigne la nouvelle « Berthe » qui met en scène les tentatives scientifiques du docteur Bonnet sur la jeune fille. Mais n'oublions jamais que ce que les romanciers écrivent, même si cela semble vrai, c'est toujours de la littérature !

# *Une vision tragique de la vie*

## Une vision personnelle

Le XIXe siècle vit sous le sceau du pessimisme et Maupassant en est un témoin. La vie de Maupassant et ses souffrances ont contribué à lui donner une vision tragique de l'existence : la dépression de sa mère, la séparation de ses parents, l'expérience de la guerre, la maladie... Maupassant est pessimiste par hérédité sans doute, par tempérament sûrement. L'influence de son maître Flaubert joue également. Voici ce que Maupassant lui écrit en 1878 : « Je vois des choses farces, farces, farces, et d'autres qui sont tristes, tristes, tristes, en somme tout le monde est bête, bête, bête, ici comme ailleurs. » Flaubert lui avait déjà envoyé le mot suivant en 1876 : « Ah ! la bêtise vous exaspère ! et elle vous barre jusqu'à l'océan ! mais que diriez-vous, jeune homme, si vous aviez mon âge ! » Maupassant, révolté par la bêtise et la méchanceté, s'est interrogé toute sa vie sur la faculté que l'homme avait ou non d'être heureux. Pour lui, le bonheur est une attente, une illusion, un rêve.

## Une écriture tragique

L'univers des nouvelles de Maupassant est cruel : l'auteur montre un grand intérêt pour les désespérances, les déchirements. Les personnages sont condamnés à la solitude comme Berthe, Rose, Rosalie Prudent, ou encore la rempailleuse, à l'ennui comme la jeune femme de « Première neige ». Ils sont victimes de déceptions cruelles comme Rose, la rempailleuse ou Charlot. Maupassant souligne aussi l'impossibilité de communiquer des hommes et des femmes : pensons à « Première neige » où la jeune Parisienne rêve d'un véritable amour et ne connaît que la rudesse d'un gentilhomme normand qui préfère la chasse à sa femme ou bien encore à « Histoire vraie » où Rose aime Varnetot à en mourir alors que lui préfère se débarrasser de la jeune femme après s'en être amusé un temps. Au sein de ces deux nouvelles, le lecteur éprouve de la sympathie pour les héroïnes.

Dans chaque nouvelle, un objet révèle la folie des personnages – comme le calorifère de l'héroïne de « Première neige » ou la montre de Berthe – ou exprime le désordre du monde – comme la cloche folle de « Mademoiselle Fifi ». Les personnages ne s'en sortent pas, ils ont un destin tragique, la fatalité devient la loi gouvernant les existences humaines. Face à cette vie tragique, les personnages des nouvelles ne peuvent que rester seuls, fuir, devenir fou, ou se suicider – pensons à Berthe, ou à Rose qui se laisse mourir d'amour.

On note cependant que Maupassant a une réelle pitié pour ces personnages perdus, victimes du sort. De son écriture perce l'émotion et c'est ainsi que le lecteur s'émeut en lisant « Berthe », « La folle » ou « Rosalie Prudent ».

# Fenêtres sur...

##  *Des ouvrages à lire*

### Des recueils de nouvelles

• Gustave Flaubert, *Un cœur simple* [1877], Gallimard, « La Bibliothèque Gallimard », 2000.
*Dans* Un cœur simple, *Gustave Flaubert raconte la vie de Félicité, une servante de campagne, qui est dévouée corps et âme aux autres. Elle aime successivement un homme, les enfants de sa maîtresse, son neveu Victor, un vieillard et... Loulou, son perroquet. Elle ne sait pas dire ses émotions, elle les vit presque stupidement. C'est un court récit d'un pessimisme absolu.*

• J.M.G. Le Clézio, *La Ronde et autres faits divers* [1982], Gallimard, « Folio », 1990.
*Onze faits divers comme prétexte à onze nouvelles. Qu'il s'agisse d'ouvriers qui veulent passer la frontière italienne pour travailler en France, de jeunes filles fugueuses, d'un enfant voleur dans un supermarché, l'auteur impose sa sensibilité et nous bouleverse. Le point commun de ces nouvelles, c'est la souffrance humaine et le fol espoir de trouver, quoi qu'il arrive, un peu de douceur et d'amour.*

• Collectif, *Des filles et des garçons*, Thierry Magnier, 2007.
*Voici un recueil de nouvelles pour inciter au débat et au dialogue. L'éditeur présente onze textes pour dénoncer les préjugés sexistes, mais aussi le poids des conventions sociales ou religieuses. Ces nouvelles tentent surtout de décrire des histoires de vie. On y parle d'amitié, de famille, d'école, d'Internet ; on entre dans la cité ; on y entrevoit parfois l'amour (à signaler le texte de Mikaël Ollivier, certainement l'un des plus forts du recueil). Un recueil militant contre toutes les formes de violence.*

### Des romans

• Ivan Tourguéniev, *Premier amour* [1860], trad. du russe par Françoise Flamant et Édith Scherrer, Gallimard, « Folio classique », 2008.
*À seize ans, Vladimir Pétrovitch tombe éperdument amoureux de sa voisine fraîchement installée, la mystérieuse Zénaïde. Cette dernière vit avec sa*

*mère qui, bien que princesse, mène une existence misérable. Zénaïde a vingt et un ans et la beauté du diable. Premier amour, premiers tourments. D'abord insouciante et coquette, la jeune fille devient froide, mystérieuse. Vladimir songe à un rival secret. D'étranges soupçons l'envahissent...*

**• Émile Zola, *Germinal* [1885], Gallimard, « Folio classique », 1999.**
*C'est l'histoire d'une grève en pays minier, au* XIX*e siècle. Mais c'est surtout l'évocation de l'éprouvante vie des mineurs, d'une révolution sociale naissante, et d'une histoire d'amour... Étienne Lantier arrive à la mine pour trouver du travail. Il est embauché et rencontre la famille Maheu. À leurs côtés, il vit les troubles sociaux de la mine...*

**• Carine Tardieu, *Les Baisers des autres,* Actes Sud Junior, « Ciné-roman », 2003.**
*Dans* Les Baisers des autres, *Sandra, adolescente à fleur de peau, égrène au fil des pages, colères et souffrances, peines et révoltes, rêves et désirs. Isolée au sein de sa famille, la jeune fille doit appréhender seule le passage à l'âge adulte et envisager différemment son rapport au monde et aux autres.*

**• Valérie Zenatti, *Une bouteille dans la mer de Gaza,* L'École des loisirs, « Médium », 2005.**
*Tal, jeune Israélienne, habite à Jérusalem et ne supporte plus l'horreur banalisée des attentats. En désespoir de cause, elle écrit une lettre, la met dans une bouteille et la confie à son frère qui fait son service militaire à Gaza. La lettre doit lui permettre d'entamer une correspondance électronique avec un ou une Palestinien(ne). Tal veut ainsi se prouver que tout espoir de paix et d'entente n'est pas perdu. Un jeune homme, vindicatif et ironique, lui répond...*

**• Arnaud Cathrine, *La Vie peut-être,* L'École des loisirs, « Médium », 2006.**
*Sofia, la meilleure amie de Florian, est morte d'anorexie. Le jeune homme ne parvient pas à accepter cette absence. Il se rend à l'hôpital psychiatrique où Sofia a fini ses jours. Un infirmier, Mehdi, comprend vite qu'il n'est pas malade. À son contact, Florian reprend peu à peu goût à la vie.*

# *Des films à voir*

## Des adaptations des textes de Maupassant

**• Des adaptations de Claude Santelli**

*Claude Santelli fut un pionnier des adaptations des textes de Maupassant pour la télévision : il considérait Maupassant comme un visionnaire de l'humanité qui nous « laisse des émotions profondes et inoubliables ». Il adapta donc* Histoire vraie *(1973),* Mme Baptiste *(1974),* Première neige *(1976), puis* Berthe *(1986). Dans* Mademoiselle Fifi *ou* Histoire de rire *(1989), il fait « un tressage de nouvelles », c'est-à-dire qu'il insère plusieurs récits de Maupassant dans son scénario : on y retrouve les personnages du père Milon et celui de la folle.*

**• Des adaptations de la nouvelle « Aux champs »**

*La nouvelle « Aux champs » a été adaptée par Hervé Baslé en 1986.*
*Une nouvelle adaptation de « Aux champs » par Olivier Schatzky est sortie en mars 2008. Son travail est notamment intéressant par sa liberté d'adaptation (récit encadré, personnage supplémentaire…) et sa grande fidélité au texte de Maupassant.*

## D'autres films

**• *L'Enfant sauvage*, François Truffaut, comédie dramatique, noir et blanc, 1969.**

*Un jeune garçon nu, farouche et qui ne sait pas parler est retrouvé par des villageois dans une forêt au XVIIIe siècle. Il est recueilli par le professeur Jean Itard qui va se consacrer exclusivement à l'éducation du jeune garçon, qu'il a nommé Victor. Pour adapter l'histoire vraie de Victor, François Truffaut s'est appuyé sur les écrits du docteur Itard et sur les documents de l'époque. Ce film est un conte sur l'apprentissage et la tolérance.*

**• *Sans toit ni loi*, Agnès Varda, drame, couleur, 1985.**

*Mona, une jeune vagabonde est retrouvée dans un fossé, morte de froid. Qui était-elle ? Aventures et solitude d'une jeune fille (ni frileuse, ni bavarde) racontée par ceux qui ont croisé sa route, cet hiver-là, dans le Midi… Un film d'un réalisme noir qui donne à voir l'errance de Mona, son exclusion et son opacité.*

• ***Le Roi des masques,*** **Wu Tian-Ming, comédie, couleur, 1995.**
*Dans une province chinoise, au début du* XX*e siècle, un vieil homme, Wang, montreur de masques, exerce son métier avec une telle habileté qu'on le surnomme « le roi des masques ». Son art : changer de visage en un éclair par l'utilisation de masques de soie. Mais Wang ne peut livrer son secret qu'à un fils. Le vieil homme décide d'acheter un jeune garçon de huit ans au marché des enfants, il le nomme Gouwa (« chiot »). L'affection grandit entre les deux personnages mais le jeune garçon cache un terrible secret... Ce film traite des rapports entre adultes et enfants d'adoption mais aussi de la place des filles et des garçons dans la tradition chinoise.*

## *Des CD à écouter*

• ***Nouvelles de Maupassant,*** **lues par Robin Renucci, Gallimard, « Écoutez lire », 2006.**
*Ce CD comprend les nouvelles suivantes : « Un fou », « La rempailleuse », « La Mère sauvage », « La parure » et « Un million ».*

• ***Sept nouvelles de Maupassant,*** **lues par Robin Renucci, Gallimard, « Écoutez lire », 2006.**
*Ce CD comprend les nouvelles suivantes : « L'ami Patience », « Le saut du berger », « Pierrot », « Le legs », « Une vendetta », « Une famille » et « La folle ».*

• ***La Ronde et autres faits divers de J.M.G. Le Clézio,*** **lues par Bernard Giraudeau, Gallimard, « Écoutez lire », 2008.**

Imprimé en Espagne par Novoprint (Barcelone)
Numéro d'édition : 004882-01 - Dépôt légal : août 2008